JN064881

# わたし×IT＝最強説

NPO法人 **Waffle**

女子＆
ジェンダー
マイノリティが
ITで活躍するため
の手引書

リトルモア

# わたし×IT＝最強説

女子＆ジェンダーマイノリティが
ITで活躍するための
手引書

# はじめに

　こんにちは! Waffleです。私たちは、より多くの女子＆ジェンダーマイノリティがプログラミングの楽しさを実感し、ワクワクしながらIT分野の進路を思い描けるように応援しているNPO法人です。

　Waffleという名前から、みなさんはどんなことを想像しましたか?

　実はWaffleは、「Women AFFection Logic Empowerment」を略してつけた名前です。「**愛情深く、そして論理的に女性をエンパワーメントしたい。むずかしく捉えられがちなテクノロジーを、お菓子のワッフルのようにポップに**」という思いが込められています。

## ＊「IT」って、そもそもなんだろう? ─────────

「IT分野」と聞くと、「パソコンやインターネットに関係することかな?」とイメージする人は多いかと思います。だいたいのイメージはそれでOKです。

「IT」は、Information Technologyの略。日本語では「情報技術」や「情報処理技術」と訳されることが多いのですが、もう少し具体的に説明すると、「情報を入手・保存・伝達する技術」となります。

　今、ITは私たちの日常のあらゆる場面で使われていることを知っていますか? 普段みなさんが使っているスマートフォンのアプリや電子マネー、ゲームや家電、天気予報、駅の自動改札機などにも活用されています。ITは、私たちの生活を便利にする技術であり、もはや私たちの社会に「必要不可欠」と言っても大げさではありません。

## ＊なぜ、プログラミングを学ぶ必要があるの? ─────────

　ITの核となるのは、コンピュータです。コンピュータは、大量の情報をスピーディに間違えず処理できる計算機。そんなかしこい機械に、私たち人間が「こう動いて!」と指令を出すことを「プログラミング」と言います。指令は専用の言語を使って書きます(この作業を「プログラムを書く」や「コードを書く」と言います)。

　プログラムやコードは、コンピュータがおこなう作業の手順を書いたルールのようなもの。少しでも間違っていると、望んだ結果が得られません。良い仕事をしてもらうためには、コンピュータの得意・不得意を理解した上で、正しく効率

的な手順を伝えることが大切です。

　プログラミングは、近年、学校教育でも重視されるようになりました。小学校では2020年度からプログラミングの体験が必須となり、中学校では2021年度から従来のプログラミング教育の内容が拡充されました。高校では、2023年度からプログラミングを含む「情報Ⅰ」という教科をすべての生徒が履修することになっています。さらに今後、大学入学共通テストにもプログラミングの問題が出題される予定です。

　文部科学省が発表した資料によると、日本の政府がこのように情報教育を進める背景には、IT分野の人材を増やすという目的だけでなく、これからの時代に必要な教養として若い世代にITを学んでもらおうという考えがあるようです。

## ✻ プログラミングは楽しい! ITって面白い!

　画面上に自分が書いたコードによって、何かが動き出す。コードを1行書き足すごとに、真っ白だったページに文字や画像があらわれ、パッと変化する。もっときわめれば、自分でゲームやアニメーション、アプリケーションを作れるようになる。そんな体験は他になかなかないから、とってもワクワクするはず。

　プログラミングができるようになれば、ITというツールを使って自分の創造力を発揮したり、課題を解決したりできるようになります。

　あなたの「こんな表現をしたい!」という希望を叶えることも、「これってどうにかならないかな?」という課題を解決することも、ITの力があればできるかもしれないのです。私たちはそんなITの楽しさや面白さを、年齢も性別も文系・理系も関係なく、みなさんに体験してもらいたいと思っています。

## ✻ ITをもっとカラフルに

　これまで科学や技術、数学の分野には、「男性のほうが得意」「女性には向いていない」という、決めつけられたイメージや社会の雰囲気がつきまとい続けてきました。

　IT分野にも、女性やジェンダーマイノリティが少ないという現実があります。そう聞いて、「そんな環境でやっていけるかな?」「居心地が悪くないかな?」と不安

を感じる方もいるかもしれません。でも、尻込みをしないでほしいなと思うのです。あなたが学びたいと思ったら、学べる場所も手段もあるし、仲間を見つける方法もあるから大丈夫。

## ※ さぁ、私たちと一緒に始めよう！ ─────────

　この本では、「ITってなんだろう？」と思っている方にITのワクワク感を伝えるとともに、「ITに興味がある！でも自信がないな」と思っている方を励まし、勇気が湧いてくるようなアドバイスやストーリーをできるだけ多く届けたいと思っています。

　1章は、私たちWaffleがなぜ立ち上がったのかという話から始まり、「どうしてIT分野にはジェンダーギャップがあるんだろう？」、「ジェンダーギャップがなくなると、社会はどんなふうに変わるんだろう？」ということをみなさんとともに考えるパートです。

　2章は、さまざまな分野でITが使われることで、社会がより良い方向へ変化している例をたくさん紹介します。IT×◯◯の力は無限大。みなさんが好きなことや伝えたいことを表現する方法として、ウェブサイトを作る手順も案内します。

　3章では、IT分野で活躍している16人へのインタビューを大公開。アプリコンテストやロボットコンテストに挑戦している高校生や、理工系の学部に進んだ大学生、文系からソフトウェアエンジニアになった人、好きなこととITをかけ合わせた研究に取り組んでいる人、海外に拠点を移してエンジニアをしている人、次世代のエンジニアのために会社を起こした人……。あなたにとって素敵なロールモデルが見つかることを願っています。

## ※ 知ることは、あなたの選択肢を増やすこと ─────────

　「自分の好きなことをやりたい！」「ワクワクする道に進みたい！」と思った時に、知識が背中を押してくれることもきっとあるはずです。

　もし、この本を最後まで読んで、「自分にもできるかも！」「あの人みたいになりたい！」と思ったら、ITやプログラミングの勉強のはじめの一歩を踏み出してみて

ください。誰もが気軽に始められるのも、ITの良いところです。

　この先、自分の好きなことややりたいことを、家族や学校の先生やまわりの人に話す場面があると思います。そんな時、この本に書いてあることを思い出してみてください。あなたがやりたいことをのびのびとやるために、周囲を説得する場面でも、この本は役立つかもしれません。

　みなさんが望んだ道を堂々と進めるように、Waffleはいつも応援しています!

## 〈本書でのジェンダーに関する表記について〉

・本書のサブタイトルに「女子&ジェンダーマイノリティがITで活躍するための手引書」とあるように、本書の内容は、主に女子およびジェンダーマイノリティを対象に書かれたものです。
ここでの「ジェンダーマイノリティ」とは、生まれた時に決められた性別に限らず自分を女性だと認識している人、中性だという人、決めたくないという人など、さまざまな性のグラデーションに基づいて生きる人たちを想定しています。

・本文中では、日本社会やIT分野にジェンダーギャップがあるという状況を伝えるために、さまざまな資料を引用しています。男女という性別のみに着目した統計データや文言も含まれていますが、著者が性を「男」と「女」のいずれかに分類する意図はありません。

・著者であるNPO法人Waffleは、IT分野におけるジェンダーギャップの解消をミッションにかかげており、具体的には、男女の格差を解消することだけでなく、多様なジェンダーやアイデンティティを持つ人たちがITを使って社会にポジティブな変化の波を起こしていくことを目指しています。

＊本文中では、「パソコン(personal computer)」のことをすべて「PC」という略称であらわしています。

# この本の案内人

▶1991年、大阪生まれ。朝から晩まで働きづめの父と、パートタイムの仕事をしながら家事全般をこなす母のもと育つ。高校では理系を選んだが、オーストラリアへの短期留学がきっかけで、大学は文系の外国語系に進む。

▶大学では、アメリカに1年間交換留学し、テクノロジーと音楽と映画の祭典「SXSW」に参加。IT業界の華やかでエキサイティングな現場を知り「この世界で働きたい！」と思った。帰国後は「大阪 IT 求人」とググっても理想の仕事が見つからず……就活に苦戦。大阪市が運営するシリコンバレーツアーに参加し、IT業界にジェンダーギャップの問題があり、解消するためのコミュニティがあることを知った。

▶自分にも何かできないかと考え、IT業界で働く女性をエンパワーメントする「Girls in Tech」を日本に持ちこむことに。起業を目指して、プログラミングの勉強を始めたところ、自分がウェブサービスを構築するよりも、子どもたちにプログラミング教育を届けたいと思い、NPO法人みんなのコードに入職。平日の夜と土日は、女子中高生向けのIT教育や、「Technovation Girls」の運営に力を注ぐ。

▶多くの方からサポートを受け、活動をより本格化するため、2019年11月にWaffleを法人化。

田中沙弥果

たなか・さやか

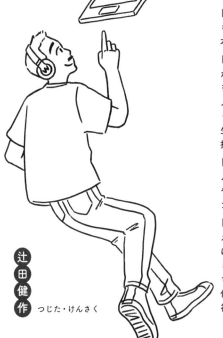

▶1980年、神奈川生まれ。新しいモノや読書好きの両親のもと、当時としては最新のガジェットと幅広いジャンルの本に囲まれて育つ。

▶高校は私立の男子校へ。ポケベルを持ち、交友関係も広がり、コミュニケーション手段がデジタルへ変わるところを目の当たりにした。プログラミングよりも、最新のテクノロジーがどのように社会を便利にし、課題を解決していくのかに関心があった。その頃、地元自治体が高校・大学生を海外に派遣するプログラムでタイへ。開発学に興味を持ち、明治学院大学国際学部に進学。

▶大学の実習では、アジアの開発問題を学ぶため、ベトナム・ミャンマー・カンボジア・中国に滞在。卒業後、IT企業やAI、EdTechスタートアップなどで、営業やマーケティング・PRなどを担当。

▶未来を担う子どもたちが、どのようにITを活用し社会を変えていくのかを知りたいと思い、NPO法人みんなのコードに参画。田中と出会う。一緒に、全国の教育現場にプログラミング教育を普及するための活動を行う。その後、田中が立ち上げたWaffleに共感し、PR担当に。現在はIT企業のPRの他、東京レインボープライドなどの活動にも携わりながら、社会人大学院生としてダイバーシティ経営などを研究中。

辻田健作

つじた・けんさく

▶1990年、東京生まれ。4〜6歳は、父の留学に帯同しアメリカに住む。帰国後は公立の小学校を経て、中高一貫の女子校でのびのびと過ごす。地域のキャンプリーダーや学園祭のブース主催、運動会の実行委員を務め、リーダーシップを培う。

▶化学と世界史が好きで、理系を選択。オープンキャンパスで廃液プラントを見せてくれた京都大学を志望し、浪人して入学。しかし、願書を書き間違えて農学部の食料環境経済学科という興味のない学科に入ってしまう……。2年生の時にフィリピンへ行き、国際開発の様々なアプローチを学ぶ。最終的には行動経済学に興味を持ち、大学院に進むことに。

▶大学院はアリゾナ大学へ。計量経済学と実践的なデータ分析を学びながら、かんがい用水の予測や州の政策評価プロジェクトにかかわる。移民の多いリベラルな街で、トランプ元大統領の当選やマイノリティと権利について友人と議論する日々を過ごした。

▶IT企業にデータサイエンティストとして就職。職場の女性の少なさに危機感を抱いた。技術者は男性が多いことに問題の根深さを痛感していた頃、Twitterで田中に出会い、Waffleに共同創業者としてジョイン。

斎藤明日美
さいとう・あすみ

▶1980年、長野生まれ。幼稚園の本を全部読むくらい本の虫で、男の子と一緒に遊ぐことも多い活発な子どもだった。中学では、女性の数学教師や、プログラミングを好きなように学ばせてくれる技術の教師と出会う。ビデオゲームにハマり、「将来はゲームプログラマーになりたい」と思い、地元の工業高等専門学校の電子情報工学科に進学。

▶高等専門学校では、プログラミングや数学の天才に囲まれ、ゲーム業界への道をあきらめる。成績は普通だったが、当時情報工学専攻の学生は引く手あまた。推薦をもらって通信企業へ就職。

▶入社後は、携帯電話をつなぐためのネットワークのエンジニアになる。大きなデータセンターを作るプロジェクトに従事したり、スペインの携帯電話会社へ研修に行ったり。その後、アメリカに駐在し、新しい技術などを調査しながら、多くの市民団体が政策決定にかかわっていると知り、感銘を受けた。また、たくさんの女性リーダーに影響を受け、帰国後に社内で女性エンパワーメントサークルを立ち上げる。

▶日本のジェンダーギャップ解消の課題にコミットしたい思いが強まり、Waffleに参画。地方出身であることから、Waffleの取り組みを全国に広げていきたいという熱意がある。

森田久美子
もりた・くみこ

# 私たちWaffleの活動

多くの女性&ジェンダーマイノリティにIT分野へ進んでもらうために、私たちはこんなことをしています。

## 1. 女子&ジェンダーマイノリティ向けのIT体験プログラム・イベント

読者のみなさんには将来の選択肢が豊富にあります。その中のひとつとしてIT分野を知ってもらい、「ITって面白い! 自分にもできるんだ」と思ってもらえるようなプログラムを実施しています。

### 「Waffle Camp（ワッフル・キャンプ）」

女子&ジェンダーマイノリティの中高生が参加できる1日完結型のウェブサイト作成コース。自分の好きなことや関心のあるものをウェブサイトで表現することで、ITを身近なものに感じてもらい、「自分でもできる!」という実感を得られるプログラムです。また、理工系への興味を持っていてもロールモデルが近くにいないと尻込みしてしまうことが多いため、IT企業などで働くエンジニア女性の話を聞く「キャリアトーク」の時間も設けています。中高生が、家庭環境などに関係なくITに触れる機会を持てるよう、参加費は無料、PCはレンタル可能。

### 「Waffle College（ワッフル・カレッジ）」

IT系のキャリアに興味がある女子大学生・大学院生向けの無料プログラミング研修。初心者レベルからスタートし、毎週90分のウェブアプリ開発の研修を実施。約1年間の研修を終える頃には、エンジニアへの第一歩として、技術系インターンに就けるレベルのスキルが身につくことを目指します。また、国内外のIT企業で働くエンジニアによるトークセッションやインターンシップの機会を提供するなど、キャリアサポートもしています。

### 「Technovation Girls（テクノベーション・ガールズ）」

Technovation Girlsとは、女子、性自認が女性の人、ノンバイナリーおよびジェンダー・ノンコンフォーミング（P172）の中高生を対象とし、社会課題解決のためのアプリ開発をするコンペティションです。アメリカのNPO法人「Technovation Girls」がおこなっている世界的なコンテストで、Waffleは日本リージョナルアンバサダーとして、日本からの出場者をサポートしています。4ヶ月間の起業家ブートキャンプ、アプリ開発ブートキャンプを経て、社会課題を解決するビジネスの立ち上げを体験。最後には自分たちのビジネスについて、審査員や多くの観覧者が参加するピッチイベントでプレゼンテーションします。

### イベント・講演活動

ITについて広く知ってもらうためのイベントや講演もおこなっています。自分の関心分野とITを組み合わせて活躍する先輩たちに、これまでの経歴や今の仕事について話をしてもらうことで、みなさんの進路選択に役立つ情報を提供できればと考えています。

## 2. 政府への政策提言

　IT分野に女性やジェンダーマイノリティが少ないという問題には、国や企業のルールのあり方が大きく影響しています。今のルールを変えるために、政治家や政府の人にIT分野に女性＆ジェンダーマイノリティを増やす必要性を訴え、日本全体で取り組みを進めてもらうように働きかけをしています。

提案
学校や地域で女子＆ジェンダーマイノリティが理工系分野に触れる機会を増やしてほしい

提案
今やっている理工系の取り組みに、女子＆ジェンダーマイノリティが入りやすいようにしてほしい

提案
IT分野に女性＆ジェンダーマイノリティが増えるようなサポートをしてほしい

　成果として、2021年度・2022年度の経済財政政策の基本方針を示した「骨太の方針（経済財政運営と改革の基本方針）」に、私たちを含めた法人による政策提言が6行にわたって記載されたことがあります。1行載るだけでもすごいと言われるものなので、大きな前進です！

男の子の輪に、入りづらい。身近に詳しい女の人が、いない。

プログラミングを学びたい。でも、その一歩が踏み出せない。

そんな女の子たちの声を聞いて、Waffle Campは生まれました。

絵を描くように、コードを書こう。

服を着こなすように、サイトをつくりこなそう。

女子＆ジェンダーマイノリティが増えれば、

ITの世界はもっとカラフルになる。

Waffleはその未来を応援しています。

# ⊞ contents

## PART 1 女子&ジェンダーマイノリティが増えれば、ITはカラフルに

PCが好きな女子生徒たちは一体どこへ?

ジェンダーギャップってなんだろう?

ジェンダー平等は、世界のみんなの課題!

なぜ理工・IT系には女性が少ないの?

「女子は理数科目が苦手」はほんとう?

ITが私たちの生活を動かしている!

ITの作り手に多様な視点がないと、どうなるの?

ジェンダー・ステレオタイプに気づくことから

令和の「手に職」はITエンジニア!

## PART 2 ITは面白い! ともに社会を変えよう

移動×IT ／コミュニケーション×IT ／コンビニ×IT ／勉強×IT ／
健康・医療×IT ／妊娠×IT ／農業・畜産×IT ／アート×IT

## Information
## アクションのためのお役立ち情報

お役立ちinfo1 今日からプログラミングを学べる! おすすめの教材

お役立ちinfo2 自習や振り返りにも最適! おすすめの書籍

お役立ちinfo3 ジェンダーの問題をもっと知りたくなったら? おすすめの書籍

お役立ちinfo4 理工系の女性推進に力を入れている大学リスト

お役立ちinfo5 奨学金や支援の情報

お役立ちinfo6 仲間を探そう! エンジニアのコミュニティ

# PART.1

女子＆ジェンダー
マイノリティが
増えれば、
ITはカラフルに

## PCが好きな女子生徒たちは一体どこへ？

私たちWaffleは、「ITって何だろう?」「プログラミングって面白いの?」と興味を持っているみなさんに、ウェブサイトやアプリケーションを作る体験を通して、ITに触れる楽しさを実感してもらう活動をしています。

さらに、プログラミングや情報系のスキルを身につけた先には色とりどりの進路があることを知ってもらい、ワクワクしながら好きな道を歩めるように、**エンパワーメント**\*をおこなっています。

> エンパワーメント:ひとりの人や集団が本来持っている力を発揮できるようにすること。

そもそもなぜ私たちがこんな活動を始めたのか? はじめに少しお話しさせてください。

Waffle代表の田中沙弥果は、以前「みんなのコード」というNPO法人で、全国の学校で子どもたちにプログラミングを体験してもらうための活動をしていました。そこで、小学校では性別関係なく、誰もが楽しくプログラミングを学んでいるのに、中高生向けのコンテストやイベントになると突然、女の子が少なくなることに気がついたのです。

あんなに楽しそうにPCを触っていた女の子たちは、一体どこへ!?

ふしぎに思い、調べてみたところ、15歳を対象にした国際的な調査 (PISA)\*では、「科学・工学分野の専門職に就きたいか?」という問いに「はい」と答えた日本の女性の数はわずか3.4%で、男性よりも少ないという結果が出ていました。

日本の女性の割合は、調査対象国の中で最下位。同じく、実際に理工系に進学した女性の割合も、日本は16%で、やはりOECD加盟国の中で最下位\*でした。

> PISA:OECD(経済協力開発機構)が3年ごとに実施している15歳を対象とした国際的な学習到達度テスト。読解力、数学的リテラシー、科学的リテラシーの3分野を中心とした試験で、義務教育で学んだ知識を生活にどの程度応用できるのかを測る。

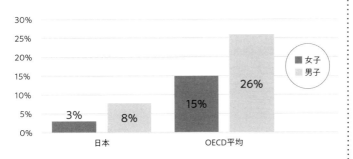

〈科学・工学分野の専門職に就きたいと答えた人の割合〉

PISA（2018年の調査結果）を元に作成

- 女子
- 男子

30%
25%
20%
15%
10%
5%
0%

3%　　8%　　　　15%　　26%

日本　　　　　OECD平均

*2019年、OECDは加盟国を対象に、大学などの高等教育機関に入学した学生のうち、理工系分野に占める女性の割合を調査・公表。日本は自然科学（27％）と工学（16％）の2分野で最下位だった。

　田中はこれらのデータを見て、ハッとしました。**中高生の文理選択や進路選択の時に、何らかの問題があって、女性とITの職業が結びついていないのではないか?** と気づいたのです。

　その後、田中は「女子中高生向けのIT教育をやってみよう」と思い立ちました。単発のイベントを何回か実施し、国際的なアプリコンテスト「Technovation Girls」（P8）を日本で展開するということも始めました。

＊

　その頃、共同創業者の斎藤明日美は、IT企業で**データサイエンティスト**＊として働きながら、同じ職場に女性が少ないことに違和感を抱いていました。

　ある時、インターネット上の翻訳ツールに問題が発生したという記事を読みました。文章を打ち込むと別の言語に自動翻訳してくれる便利なツールのはずが、人間の持つ**ステレオタイプ**＊を反映した翻訳文を作っていたというのです。

　例えば、トルコ語は3人称に性の区別がない言語なので、「彼」「彼女」のどちらも同じ「o」という言葉を使ってあらわします。そんなトルコ語の文を、翻訳ツールを使って英語に翻訳してみると……

**データサイエンティスト**:大量のデータを分析し、その結果を活用して企業などの意思決定を支援する職種。

**ステレオタイプ**:多くの人に浸透している固定的なイメージや型にはまった考え方のこと。社会や集団の生活の中で、知らず知らずのうちに身につくことが多いとされる。

15

# 「o bir doktor」 → 「He is a doctor」
（トルコ語で「彼／彼女は医者です」）　　（英語で「彼は医者です」）

　このように、自動的に「彼」と翻訳されていたのです*。これは、「医者は男性の仕事」という、人間の持つ**ジェンダー・ステレオタイプ***が反映されてしまった結果です。なぜなら、**翻訳ツールは、多くの場合、人間が過去に書いた文章を読み込ませて作られているからです。**

　斎藤は、それからテクノロジーの倫理問題について考えるようになりました。

　ITの開発者に女性が少ないという問題が影響しているのかも？

　そう思い、社内の人事部に「女性を増やしてほしい」と直談判したところ、**「そもそも女性からの応募が少ないからどうしようもないんだよね」**と言われてしまいました……。

＊

　そんな斎藤が、たまたまSNSで情報収集をしていると、同じような問題意識を持って発信している田中を発見。メッセージをやりとりして、意見交換をするような仲になり、田中の活動を手伝うようになりました。

　これがWaffle立ち上げまでの大まかなストーリーです。私たちが教育現場や企業で感じてきたのは、「IT分野にジェンダーギャップがある」という課題でした。

　Waffleはこうした課題の解決を目指して、取り組みを続けています。

*2023年現在、この翻訳機では「He is a doctor ／ She is a doctor」という2通りの翻訳が表示されるようになり、改善が見られる。

**ジェンダー・ステレオタイプ**：例えば「男は青、女は赤」など、「男性」と「女性」それぞれに対して人々が共有する、固定的な思い込みやイメージのこと。

# ジェンダーギャップってなんだろう?

　ここまで読んだみなさんは、「えっ! そんな問題があるの?」と驚いたかもしれません。

　では、「ジェンダーギャップってなんだろう?」というところからお話をするので、一緒に考えてみましょう。

　**「ジェンダーギャップ」とは、性別による格差のこと**です。

　ニュースなどでよく取り上げられるのは、世界各国の「ジェンダーギャップ指数*」。これは、「政治」「経済」「教育」「健康」の4分野で、男女の格差がどのくらいあるかを数値化したものです。

　日本は、「教育」と「健康」では比較的格差が小さいのですが、「政治」「経済」では格差が大きい*ため、総合ランキングでは世界146か国中116位という、低い順位になっています(2022年時点)。

　例えば、日本の政治家や企業のリーダーの姿を思い浮かべてみてください。テレビやインターネットのニュースによく出ているのは、スーツにネクタイをしている男性が多いですよね。実際のところ、2022年8月に発足した第二次岸田改造内閣では、27人の閣僚の中で、女性が2人だけでした。

　しかし、世界に目を向けてみると、他の国では女性リーダーが政治の中心にいる姿も見られます。

　例えば、2019年、34歳のサンナ・マリン氏がフィンランドの首相に就任したというニュースは、世界を驚かせました。そんな彼女が率いるフィンランドの内閣には、閣僚19人のうち12人が女性で、35歳以下の人が4人含まれていました(2019年12月発足時)。

**ジェンダーギャップ指数:** 世界経済フォーラムが、男女平等の状況を数値化したもの。複数の観点から男女格差を図ることで、各国がジェンダーギャップを把握し改善することを目的としている。

*2022年の調査結果によると、146か国のうち、日本は「教育」分野が1位、「健康」分野が63位、「政治」分野が139位、「経済」分野が121位。

また、37歳でニュージーランドの首相に就任したジャシンダ・アーダーン氏が在任中に産休を取ったことは、世界中のメディアで伝えられ、多くの人々に勇気を与えました。

国連総会に生まれたばかりの子を連れていったり、国民向けのライブ配信中、娘の飛び入り参加に「寝かしつけに失敗しました」と話す姿も印象的だったね。

経済分野ではどうでしょう？ OECDの調査結果を見ると、フランス、ノルウェー、イギリス、ドイツなどの国々では、2010年以降、企業の女性リーダーの数が増えていることがわかります。

これらの背景には、女性が活躍できる場をさらに広げるための各国の積極的な取り組みがあるようです。

例えば「クオータ制*」は、組織のリーダーの一定数が女性になるように割り当てる制度。日本ではまだ聞きなれない言葉ですが、国会議員や企業のリーダーに対してこの制度を導入する国が増えていて、成果が上がっています。

日本では、どのような取り組みがおこなわれているでしょうか？ 2018年には、国会や地方議会の選挙で、男女の候補者が均等になるように目指すための法律*ができました。

また、政府は「2030年までの可能な限り早い時期に、国会議員や企業のリーダーに女性が占める割合を30％にする」という目標をかかげています。

ジェンダーギャップ指数では、他の先進国と比べても大きな遅れをとっている日本ですが、政治と経済の分野でも格差を縮めるために、少しずつ前に進んでいることがわかります。

**クオータ制**：性別や議員や会社の役員などの女性の割合が一定数を超えるよう積極的に起用する制度。性別だけでなく、人種、宗教などを基準に、少数側の集団に人数を割り当てる制度として導入する国もある。評価の基準は下げずに、機会を増やすことによって平等を目指す例が多い。

*「政治分野における男女平等参画の推進に関する法律」として2018年5月に公布・施行された。

# ジェンダー平等は、世界のみんなの課題!

さて、「世界で最もジェンダー平等に近い」と言われる国では、格差の解消に向けてどのように進んでいるのでしょうか?

ジェンダーギャップ指数が12年連続1位のアイスランドでは、カトリン・ヤコブスドッティル首相が女性リーダーとして活躍しています。

2017年に首相に就任した後、彼女がすぐに取り組んだのが男女の賃金格差をなくすことでした。同じ仕事をしている男女の給料が平等になるように、法律を作ったのです。その後、父親も育休を取れる制度をいち早く導入し、今やアイスランドの男性の育休取得率は7割を超えています。

2022年、カトリン・ヤコブスドッティル首相はNHKのインタビュー\*に応じて、このように話していました。

"アイスランドの私たちは、よりジェンダー平等に近づいたほうが、家族のため、子どもたちのため、すべての人にとっての「より良い社会」になるということを経験してきました。"

"労働市場において女性の参加率が高いことは、実際に経済にも良い影響を与えています。

ただ、経済が良くなるというのは、正しいことをおこなった結果。あくまで副産物です。ジェンダー平等を目指す理由はシンプルにそれが公平なことであり、正しいことだからなのです。"

\*

世界全体で2030年までに達成すべきとされているSDGs\*にも、5番目に「ジェンダー平等を実現しよう」という目標が設定されているのを知っていますか?

この項目をより詳しく見ていくと、具体的な「達成目標」には、次のことが書いてあります。

\*NHK「クローズアップ現代+」「新春インタビュー 2022 社会を変える"一歩"を」のインタビューより引用（2022年1月4日放送）。

**SDGs**(Sustainable Development Goals): 持続可能な開発目標。2015年9月の国連サミットで全会一致で採択された。「誰ひとり取り残さない」持続可能で多様性と包摂性のある社会の実現を目指すために2030年を達成期限として「17の目標」がかかげられている。

「政治や経済や社会のなかで、何かを決める時に、女性も男性と同じように参加したり、リーダーになったりできるようにする」

　重要な物事を決める場が「男性ばかり」「女性ばかり」「年長者ばかり」などと偏っていると、そこにいない人の意見が優先されづらいという状況が生じてしまいます。

　社会がよりよい方向に変わっていくためには、行政や企業に多様な人々の声が届き、ジェンダー平等について知識のある人たちが参加する場で、きめこまやかな議論がおこなわれる必要があると思います。

　実際に、社会のいろいろな分野に目を向けてみると、女性やジェンダーマイノリティが自らの経験を活かし、今までになかった政策やサービスを生み出した例は、たくさんあります。

　また、多様性*のあるチームがイノベーションを起こす例は、今後ますます増えていくことでしょう。

多様な視点が反映されると、男性にとっても働きやすく、幸せな社会に変わるはず！

多様性：ある集団の中に異なる特徴・特性を持つ人がともに存在すること。人種や国籍、ジェンダー、年齢、障がいの有無、宗教などの多様性から、キャリアや経験、働き方といった職業の多様性まで幅広い。「ダイバーシティ」という言葉であらわされることも多い。

# なぜ理工・IT系には女性が少ないの？

ジェンダー平等や多様性に関する知識をたくわえたところで、次はみなさんが気になっている「IT分野」について、一緒に見ていきましょう。

今、日本は科学技術立国の実現を目指しています。これは、科学や技術を使った研究や開発を進めて、国を成長・発展させようという取り組みです。しかし、科学や技術を学ぶ大学の**理工系学部には、女性が非常に少ない**のです。

〈大学・大学院の学生に占める女子学生の割合〉

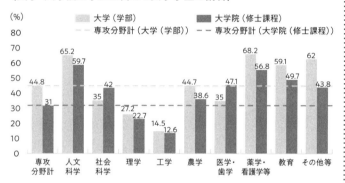

*文部科学省「学校基本調査」（平成29年度）をもとに作成したグラフ。「その他等」は「商船」、「家政」、「芸術」および「その他」の合計。
また、内閣府の男女共同参画局が公表した「男女共同参画白書（概要版）平成30年版」には、専攻分野別に見た男女の偏りが示されている。

大学の理学部の女性比率は全体の27.2%、工学部は14.5%*。

「理工系に女性が少ないのは世界中どの国も同じでは？」と思うかもしれません。しかし、日本の工学系の女性の割合は、データの出ている116か国の中で、109位。

〈OECD加盟国の工学部の女性比率〉

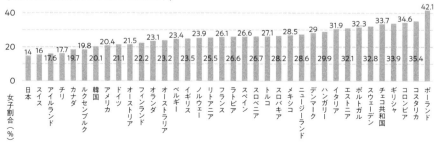

《UNESCO SCIENCE REPORT (2021), Table 3.1: Share of female tertiary graduates by field, 2018 (%)》からOECD加盟国を抜き出して作成

　なぜ、日本の理工系にはこんなにも女性が少ないのでしょう?

　その理由のひとつに、**「理系は男性が多い」「女子は理系科目が苦手」という思い込み**があることが挙げられます。

　Waffleのイベントに参加してくれた高校生たちも、まわりの大人から「女子は数学ができないよね」「女の子なんだから文系でいい」「女性は体力がないから理工系に向いてない」と言われたことがあると話してくれました。

　私たちはそうした声から、保護者や学校の先生の思い込みや偏見が、日常の何気ない声かけによって、生徒たちにすり込まれていることを知りました。そしてそれが、ひとりひとりの進路選択に大きく作用しているのではないかと考えました。

　周囲がステレオタイプを持っていることによって、本人がストレスを感じ、本来の能力を発揮できなくなることを、**「ステレオタイプ脅威*」**と言います。

　もし、文理選択に悩んでいる高校生が、まわりの人から「女の子だから文系を選んだほうがいいんじゃない?」「理系は男性の得意分野だよ」などと言われたらどうでしょう?「女子である私は理数系が苦手なんだ」「女子は理系には行けないんだ」と自信をなくすかもしれません。ステレオタイプ脅威によって、勉強する意欲がなくなり、成績が下がってしまうことは、さまざまな研究でも明らかにされています*。

なんとかせねばなりません……!

**ステレオタイプ脅威:**
例えば、「女性は数学が苦手」、「高齢者は頭が固い」などのステレオタイプが社会や集団の中に存在すると、個人が影響を受けて本来の力を発揮できない場合がある。ネガティブなステレオタイプが「私にも当てはまるのかもしれない」と不安に感じるだけでも、実際に自身のパフォーマンスが低下してしまう。
＊参照した研究論文はP174にまとめて記載。

# 「女子は理数科目が苦手」はほんとう？

ところで、日本でよく言われる「女子は理数系が苦手」というのは、本当なのでしょうか？ 国際的な学力調査\*を見ると、日本の高校1年生女子の成績は、調査した77か国の女子の中で数学が7位、科学が6位と世界トップレベル。

\*15歳を対象とした国際的な学習到達度テストPISAの理数科目の学力調査結果（2018年）。

〈国際的な学力調査によると、日本の女子は好成績！〉 PISA（2018年の調査結果）を元に作成　● 男子　◇ 女子

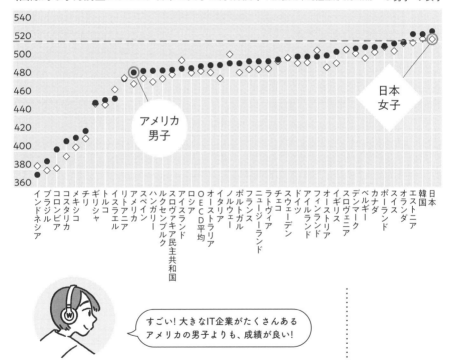

すごい！ 大きなIT企業がたくさんあるアメリカの男子よりも、成績が良い！

それでもなお、「女子は理数科目が苦手」と言われるのはなぜでしょうか？ 内閣府のおこなった調査\*によると、6人に1人の女性が「女性に理系の進路（学校・職業）は向いていないという情報をメディアから受け取った」と答えています。残念

\*「令和3年度性別による無意識の思い込み（アンコンシャス・バイアス）に関する調査研究調査結果」（2021年9月30日 内閣府男女共同参画局）。

23

ながら、人々が持つ固定的なイメージが、テレビやインターネットなどのメディアを通じて世の中全体に広まっているようです。

近頃は、いろいろな場面で、理系を学ぶ女性が「リケジョ」と呼ばれることがありますよね。「リケジョ」と呼ばれ、「珍しい存在」「ちょっと変わった女の子」として扱われることで、自信をなくしてしまう人もたくさんいます。

よく考えてみると、「リケダン」という言葉はあまり聞かないね……。

一見、平等に見える学校教育の場でも、「男子」と「女子」が分けられる場面があります。例えば、理科の実験を男女混合班でおこなう時には、男子が中心的に動き、女子は記録係を担当するといった「**性別役割分担\***」の意識が生まれやすく、女子生徒たちの理数科目への意欲低下にもつながるのではないかと言われています。

この他にも、学校の先生の視点やステレオタイプが言葉や態度にあらわれ、生徒に少なからず影響を与えることがあります\*。教育心理学の研究によれば、数学の試験で高得点を取った女子生徒に「女の子なのにすごいね」と声をかけると、ただ「すごいね」とほめた時よりも、生徒の意欲が低くなる傾向にあるそうです。たった一度の声がけでも、影響すると言われています。

世の中やまわりの人のステレオタイプに影響を受けて、理系に進みたいと意欲を持っている女子の進路がはばまれてしまうのは、非常にもったいないことだと思います。

**性別役割分担意識:** その人の能力や意志によって役割を決めることが公平であるにもかかわらず、「男性は主要な役割・女性は補助的な役割」というように、性別を理由に分ける考え方のこと。

\*このことを教育心理学や社会学では「隠れたカリキュラム」と呼ぶ。学校の授業以外の場面で、教師やクラスメイトの言動や慣習から学びとっていくすべての事柄を指す。

ここで私たちがみなさんに伝えたいのは、「**女子は理系科目が苦手**」は、ただの思い込みかもしれないよ！ということ。

　「私は理系に向いてない」と思っているとしたら、「向いている／向いていない」はやってみなければわからないことも多いから、**やりたいかどうかを自分の心に聞いてみるのが大事だよ！** と伝えたいです。

　みなさんには、「興味がある！」「面白そう！」「好き！」という気持ちを大切にして、ステレオタイプやまわりの人の言葉にとらわれず、ワクワクする道を自ら選んで進んでほしいと思っています。

＊

　ここで一回、深呼吸。ちょっと休憩をはさみましょう。

　これまで「IT」という言葉をたくさん使いながら話をしてきましたが、ITと聞くだけでは「自分からは遠いもの」「難しそう」と思ってしまう方もいるかもしれません。

　次のページでは、みなさんの身近にはどんな「IT」があるのか、一緒に見つけてみましょう！

## エアコン

リモコンのボタンひとつでスイッチを入れたり消したり、設定を変えることができるのは、リモコンから出る赤外線の種類によって、それぞれの動作をするように設計されているから。他にもセンサーが部屋の温度を測って、設定された温度になるように冷風または温風を出すようにプログラミングされている。

ITが
私たちの
生活を

動かして
いる!

屋内では——

## 携帯ゲーム機

プログラミングによって、キャラクターを動かしたり、物語を表示させたり。デザインもコンピュータを使って作られている。

## 加湿器

センサーが部屋の湿度を測定して、自動で調整してくれる。スマートフォンのアプリと連携して留守中の部屋の状況を確認できるものも。

**天気予報**

さまざまな観測機器を使って世界中の天候データを集め、スーパーコンピュータに計算させることで天気を予測。警報が出た時には、気象庁から全国の自治体等へ専用システムによってすぐに連絡が行く。

**スマートフォン**

アプリケーションを使ったりウェブサイトを見たりできるだけでなく、携帯通信会社のサービスやWi-Fi経由で通話ができる。

**ワイヤレスヘッドフォン**

音楽プレイヤーとヘッドフォンがBluetooth通信でつながってデータが転送され、音楽を聴ける。電源や音量調整もプログラミングで制御されている。

**音楽プレイヤー**

アーティストが演奏した曲を、デジタルデータによって保存・再生できる。PCで作曲・編集される音楽もある。

**PC**

絵を描いたり、文章を残したり、ウェブサイトを作ったり、プログラミングで好きなものを作ったり。あなた×ITで最強にしてくれる、良き相棒。

**信号機**

曜日や時間帯、渋滞状況によって青・赤の秒数を変えたり、交通量が少ない場所で車が来ていることを感知して色を変えたりするなど、プログラムされている。

**デジタルサイネージ**

静止画だけでなく、動画や音をともなう情報を表示できる。ネットワークを使って最新の情報をいち早く流せるものもある。

#ITをカラフルに

**自動改札機**

改札機が電波を出し、ICカードと無線でやりとりをしているため、ICカードが近くにきたら「○○駅で入った」「いくら残高がある」という情報が記録される。

**自動車**

自動でワイパーを動かしたり、ライトをつけたりできるのはセンサーのおかげ。最近は、カメラやセンサーを用いた衝突防止機能がついている車も多い。

動かしている！

屋外では——

**太陽光発電**

「日射計」で太陽エネルギーがどのくらい届いているかを測定し、発電量を計算。その情報をもとに火力発電などの他の発電量と調整することで、より効率良くクリーンなエネルギーを使うことができる。

**自動販売機**

最近はキャッシュレスで買える自動販売機も多い。ネットワークにつながって、売り切れや故障を自動でお知らせしてくれるものもある。

**券売機**

行き先までの運賃を計算して会計するプログラムが入っている。ICカードへのチャージ時や紛失時に備えて、カードの持ち主の情報を管理しているシステムもある。

ＩＴが私たちの生活を

## ITの作り手に多様な視点がないと、どうなるの？

　前のページで見たように、日常のあらゆる場面でITが使われているので、「これってどういう仕組みなんだろう？」「もっと知りたい！」と、あなたが興味を抱くものもきっとあるはず。

　しかし、そんな**ITの製品やサービスを開発する現場に多様な視点が含まれていない場合があります**。そのことで、どんな問題が起こるでしょう？過去の2つの例を見てみましょう。

### 〈人材採用ツールで女性が不利に？〉

　あるIT企業は、人材採用を効率化するために、AI*を使って優秀な人を探し出すツールを開発しました。このツールは、応募者から送られてきた履歴書をAIが判定し、スコアのいい履歴書だけが選ばれるという仕組みになっていました。

　しかし、よく調べてみると、このツールは女性の候補者に不利に働いてしまっていたのです。

　例えば、履歴書の中に「女子大学の出身」や「女性チェスクラブのキャプテンを3年間務めました」というような、女性であることがわかる言葉が記載されていると、その人の評価が低くなるということがわかりました。なぜなら、この会社では技術者に男性が多い傾向が続いていて、そのデータをもとにしてツールを作っていたため、AIは「技術職には男性を採用するのが好ましい」と認識し、男性ばかり選ぶようになってしまったのです。

　この企業は、女性に不利にならないようにツールを直そうとしましたが、評価がすべて公正に行われる保証がないとして、ツールの開発と使用をやめました。

### 〈女性やマイノリティは顔が認識されにくい？〉

　スマートフォンのロック解除や、写真に写っている人物の自動判定などには、「顔認識技術」が広く使われていますよね。

AI：人工知能＝Artificial Intelligenceの略称。たくさんのデータをもとにあるパターンを学習し、推論や判断、適切な答えを見つけるための手法である、機械学習もその技術のひとつ。

この顔認識技術も、AIにたくさんの人の顔のデータを読み込ませることで、同じ人物であるかどうかがわかるようになっています。

　ある研究者がこの技術の精度を調査したところ、開発した会社によって精度に大きく差がありました。肌の色が明るい男性の顔はほぼ間違えないにもかかわらず、女性や肌の色が濃い人の判定にはエラーが多かったのです。肌の色が濃い女性に対してはもっとも精度が低く、あるAIでは3分の1もの顔認識がエラーになっていました。

　この問題も、AIに読み込ませるデータが偏っていることが原因で生じたのではないかと言われています。

＊

　ITは、私たちの生活を便利にするツールのはずなのに、女性やマイノリティに不利益をもたらしている……。これでは本末転倒です。

　例えば、AIを作る時に大切なのは、世の中の今の様子を反映したデータです。データには、現実にある差別やステレオタイプもそのまま映し出されています。それに気づかずにAIを作った場合、AI自体が差別やステレオタイプを再生産してしまうことがあるのです。

　こうならないためには、さまざまな経験や知見を持った人が開発に携わり、広い範囲に目を行き届かせることが必要だと思います。

## ジェンダー・ステレオタイプに気づくことから

ジェンダー・ステレオタイプは、何気ないところにもかくれています。

アメリカでは何十年も前から、子どもたちに「科学者の絵を描いてみて」と依頼し、どんなイメージを抱くか調べる研究\*があります。子どもたちは、白衣を着て試験管を持つ人、顕微鏡をのぞく人、植物や昆虫の野外調査をする人など、さまざまな絵を描くのですが、その科学者の性別に着目してみると、「**男性**」であることが**圧倒的に多い**のだそうです。

このように、性別を指定されていないにもかかわらず、ついつい「科学者といえば、男性」などとイメージしてしまうのは、個人の問題ではなく、社会の環境がそうさせているとも言えます。

昔から、テレビ番組や映画に出てくる登場人物や、ゲームやアニメの主人公、さらには学校の教科書に出てくる人も、圧倒的に男性が多くなっています。

それから、私たちが普段チャットやSNSで使用している絵文字。少し前まで、スマートフォンの絵文字の中で「職業」や「スポーツをする人」をあらわすものはそれぞれ1種類しかなく、どれも「男性」に見えるものばかりでした。

日常の中で何気なく目にしたり使ったりしているものに、このような偏りがあると、それらに影響を受けてステレオタイプを持ってしまうのも仕方がないことかもしれません。

\*"Draw a Scientist Test"という、科学者を描いてもらい、そこにあらわれるジェンダー・ステレオタイプを調査するテスト。1960年代から子どもを対象におこなわれてきた。

最近では、このままではいけないと危機感を抱いた開発者たちによって、改善が進められるようになりました。

　絵文字は、どんな職業やスポーツをあらわすものも、男性、女性、そして特定の性別にとらわれないニュートラルな人の3種類が使えるようになりました*。

　また、「赤ちゃんに哺乳瓶のミルクをあげている人」をあらわす絵文字も、今まで女性のみだったのが、男性とニュートラルな人も加わって3種類になりました。

　テレビ番組に出演する人のジェンダーバランスも、制作者たちの意識によって変わってきています。イギリスの放送局BBCでは、男女の比率を同等にする「50：50」プロジェクト*が推進されています。日本では、NHKやオンラインメディア「ハフポスト」がこれに賛同し、ニュース番組などに出演する女性の比率を上げてジェンダー平等を目指す取り組みを始めました。

　人々の多様性を尊重する社会へ変わってきている今、このようにいろいろな分野でジェンダー・ステレオタイプを低減するための工夫がなされています。

　身近にこうした変化があらわれることは、とっても喜ばしいことですね!

*iPhoneなどのアップル製品で文字を入力する際に使える絵文字に女性が足されたのは2016年。ジェンダーニュートラルな人が足されたのは2019年。

*イギリスの公共放送BBCは2019年5月に「50：50プロジェクト」の成果を発表し、テレビやラジオ番組に出演する女性の比率が1年間で大幅に増加したことを公表した。

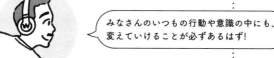

みなさんのいつもの行動や意識の中にも、変えていけることが必ずあるはず!

# 令和の「手に職」はITエンジニア！

**サービスの「作り手」となる女性とジェンダーマイノリティを増やしたい。**これが私たちの願いです。IT分野の「作り手」とは、情報系のスキルを身につけ、ITを使って製品やサービスを作る「技術職」のこと。現状では、開発者の女性は10人に1人という、好ましくない調査結果*も出ています。

この状況を改善しようと努力している組織のひとつに、Women Who Code*という非営利団体があります。

この団体は、**技術職は給与が高く安定した仕事なのに、女性の割合がとても少ない**ということに着目し、ITを使った開発に携わる女性を増やすとともに、この分野で活躍しようとがんばる女性たちに安全な場所を提供するために取り組んでいます。

今の時代において、サービスの開発やものづくりにはITが不可欠です。私たちは、より多くの女子やジェンダーマイノリティが中高生のうちから「ITを使いこなしたい」「サービスや製品を作り出す人になりたい」と発想できるようになることを目指しています。それが、**「ITをもっとカラフルに**（多様性に満ちた環境に）**」**するために大切だと思うからです。

\*

ところで、「手に職」という言葉を聞いたことがありますか？「手に職をつける」とは、仕事で収入を得て生活していくためのスキルを身につけることです。これまでは、主に看護師や薬剤師など医療系の資格が必要な職業や、弁護士や会計士などの「士業」と呼ばれる仕事が「手に職」だと言われていました。スキルを持っていればいつでもどこでも収入を得ることができる職業だからです。

この**「手に職」に、これからはIT業界のエンジニアが入ってくる**と私たちは考えています。

*イギリスのロンドンに本社があるFRG Technology Consultingが2021年に発表した「Java and PHP Salary Survey」によると、女性の開発者はわずか10人に1人。

**Women Who Code：**IT業界でキャリアを築く女性への支援をミッションとするNPO。世界75都市に支部がある。

# ITエンジニアのここがすごい！ ＊ ＊ ＊

### 収入が比較的多い！

30〜34歳女性の

平均年収380万円

↓

ITエンジニア：428〜558万円

厚生労働省「賃金構造基本統計調査」内、「ソフトウェア作成者」
「システムコンサルタント・設計者」より

### 働きやすい

PC1台でどこでも働ける。

リモートワークがOKで

服装の規定がない職場が多い。

時間にも場所にもしばられず、

柔軟な働き方を選べる。

### 教材やスクールが豊富

ウェブ上の教材や、

専門学校やスクールなど、

自主的に学べる場が

たくさんあるので安心。

### 文系からの転職もOK

文系の多分野から

ITエンジニアへの転向も

増えている。

### 需要が高い

ITエンジニアは常に人手不足。

スキルを持っていれば、出産、

育児などのブランクがあっても、

キャリアを積むことができる。

企業も女性の採用に積極的で、

働きやすい環境の整備が

進んでいる。

ITはこれからの
社会の基盤を作る技術。
スキルを身につければ、
将来の選択肢が大きく広がります。
ITとあなたが好きなこと、
得意なことをかけ合わせる未来を
考えてみませんか？
2章では、そんなワクワクする
話をしていきます。

# ジェンダード・イノベーションが世界を変える!

　科学技術の発展は、私たちの生活をどんどん便利にしています。しかし、便利な製品やサービスが生まれても、女性やジェンダーマイノリティの視点が抜け落ちていた場合、使う人に不利益が生じてしまうことがあります。

　例えば、車の衝突実験に使われる人体のダミーは男性のものが多く、その結果をもとに作られたシートベルトやエアバックでは、女性や妊婦のドライバーがケガをする確率が高くなることが明らかになっています。また、農機具やオフィスチェアも、男性の体にフィットするように作られているものが多いため、女性や小柄な体型の人が使うと仕事に支障をきたすという例もあります。

　このままでは、困りますよね……。でも、逆を言えば、これからおこなわれる研究や開発に女性や多様な人の視点が入れば、世の中はもっともっと便利になるかもしれないのです!
　新たな研究や開発の時に「性差」の視点を取り入れて、大きな革新を起こすことを「ジェンダード・イノベーション」と言います。

　デンマークで開発されたジェンダーレスな音声アシスタント「Q」もその一例。これまで、音声アシスタントには女性の声が使われることがほとんどでした。それは、アシスタントのような立場でサポートやケアをする仕事は女性のもの、というジェンダー・バイアスがあったからです。Qは、言語学者や科学者、サウンドデザイナーたちがチームを組んで、男性、女性、ノンバイナリー、ジェンダーマイノリティなどさまざまな人の声のサンプルを集めて分析し、ニュートラルな音声として開発が進められました。

　こうしたジェンダード・イノベーションによって、科学や健康、環境など幅広い分野で新たな製品やサービスなどが生まれていくことでしょう。ワクワクしますよね! みなさんもその担い手のひとりを目指してみませんか?

# PART.2

## ITは面白い！ともに社会を変えよう

# 「これ、どうにかならないかな？×IT」で社会が動き出す

みなさんは、普段の生活の中で「こんなものがあったら便利なのに」「これのここが変わるといいな」と、小さなことでも課題を感じることがあるでしょうか？

そんな課題を解決するツールのひとつに、ITがあるということをぜひ覚えておいてください。

ITというと、コンピュータと向き合って操るイメージが強いかもしれませんが、実はいろんな領域で活用されていて、多様なかけ合わせができます。

「〇〇×IT」の可能性は無限大！

ここでは、さまざまな分野とITをかけ合わせたサービスや
製品の例を見ていきましょう。

**1.** 移動×IT

**2.** コミュニケーション×IT

**3.** コンビニ×IT

**4.** 勉強×IT

**5.** 健康・医療×IT

**6.** 妊娠×IT

**7.** 農業・畜産×IT

**8.** アート×IT

**etc...**

あなたが興味のある分野から、ひとつずつでもいいので、読んでみてください。そして、もっと知りたい！と思ったら、深く掘り下げて調べてみましょう。

ITも、それを使った製品やサービスも、日々刻々と進化・発展しています。知識と情報をアップデートすると、さらにワクワクしますよ。

＊各サービス・製品に関する記述の参考資料やURLは、P174にまとめて記載しました。

# 1. 移動×IT

*　*　*

　自転車は、歩くにはちょっと遠いところへ行く時や、公共交通機関が少ない場所で移動する時にとても便利です。また、動かすために化石燃料を必要としないので環境にも優しいと言えるでしょう。

　しかし、駅前の路上や繁華街（はんかがい）など、駐輪場ではないところに停められた「放置自転車」は人や車の交通の邪魔（じゃま）になり、災害の時に救助や避難（ひなん）がしづらくなるという問題も……。

　最近、いろいろな場所で自転車シェアサービスが導入されています。自分の持っている自転車に乗るだけでなく、乗りたい時に他の人と「シェア＝共有」できるようになり、自転車での移動がより良いかたちで普及しています。

　この自転車シェアサービスには、さまざまなITが使われています。多くのサービスでは、スマートフォンのアプリやPCで会員登録をした後、駐輪場の検索や利用予約、決済まで、一連の手続きをウェブ上で簡単におこなうことができます。

　また、自転車や鍵にGPS機能（位置情報を測定するための仕組み）が搭載（とうさい）されていると、サービスの管理者は駐輪場に係員を配置しなくても、どの自転車がどこにあるのか、把握することができます。利用者も、借りた駐輪場とは異なる駐輪場で返却可能。フレキシブルに利用できて便利ですね。

こんなふうに、今までの移動や交通を
より安全に便利で、効率よく革新することを
「スマートモビリティ」と呼ぶよ。

　「スマートモビリティ」は、全国各地で推進されています。例えば、人口が少ない地域では、利用予約に応じて運行する「デマンドバス」の導入が進められています。複数の予約に対応するために、ルートを自動策定してくれる機能を備えたものも。

　また、特定の区間で「自動運転バス」を走らせる試みもあります。走行中に人や物に衝突しないよう、カメラやセンサーが周囲の情報をとらえるという技術が発展してきているようです。

## 2. コミュニケーション×IT ＊ ＊ ＊

　私たちの日々のコミュニケーションは、ITによってどんどん進化しています。電話はリアルタイムにコミュニケーションが取れる便利なツールですが、届けられるのは音声のみなので、音が聞こえづらい人や話すことが難しい人にとっては使いづらいものでした。

　そこで、相手を見ながら話すことができる「ビデオ通話」ツールを利用すると、お互いの手や口、目の動きを見ながらコミュニケーションを取ることができます。

　近年、スマートフォンやPCの「ビデオ通話」が安価に使えるようになったことは、手話や口話などでコミュニケーションを取る人々の生活に、大きな変化をもたらしました。

　しかし、病院やお店を予約したい時、タクシーを呼びたい時、銀行のキャッシュカードやクレジットカードを失くした時。本人が電話を使って問い合わせなくてはならない場面というのは、日常にたくさんあります。

　日本財団が提供する「電話リレーサービス」は、オペレーターが「手話」や「文字」と「音声」を通訳することで、電話でのコミュニケーションができるサービスです。24時間・365日、双方向での利用、消防署や警察署など緊急通報機関への連絡も可能。利用者は1万人を超えるそうです（2022年9月末時点）。

　また、目が見えない人や弱視の人たちのために、画面の文字を読み上げる機能がついたスマートフォンが普及しています。例えば、iPhoneには「VoiceOver」、Androidには「TalkBack」という機能が備わっていて、設定をオンにすれば誰でも使えます。

障がいの有無や年齢などにかかわらず、いろいろな状況の人がサービスを使えるようにすることは「アクセシビリティ」と呼ばれているんだ。

　サービスや製品を作る時には、この「**アクセシビリティ**」を考慮して、いろんな人が使いやすいものにすることが求められています。

# 3. コンビニ×IT

＊　＊　＊

　私たちの生活の身近にあるコンビニエンスストアでも、見えないところでたくさんのITが使われています。

　近年、コンビニの店内でよく見かける「セルフレジ」は、お客さん自身が商品を登録してお会計できる便利なサービス。お客さんが商品のバーコードを1つずつ登録するタイプの他に、無線で読み取りができる「RFIDタグ」を商品につけることで、複数の品物を一気にスキャンし、自動精算してくれるタイプのレジも開発されています。

RFIDタグはレジでの精算だけでなく、図書館の貸し出しにも使われるようになってきたね。

　お店の経営者は、店員の数を減らして、レジに立っていた店員を他の仕事に割り当てることが可能になります。こうした取り組みの先には、セルフレジを発展させた「無人コンビニ」があり、一部の地域で導入され始めています。

　便利になる一方で、「登録したように見せかけて、一部の商品を盗む」といった不正がおこなわれないか心配です。

　そこで、商品登録前後の重さを計測する装置を取りつけたり、セルフレジ本体に顔を撮影するカメラが内蔵されていたりと、予防措置が取られています。

　また、AIを搭載したカメラが映像をリアルタイムに解析し、万引き犯が取りやすい行動パターンに合致する人を判定するという防犯機能も、注目されています。

　また、コンビニ店員の業務を助ける技術も出てきています。コンビニには、年齢も出身地も、ネイティブ言語もそれぞれ異なる人たちが働いています。レジに立つ業務ひとつとっても、チケットや切手の販売や荷物の発送など、お客さんの幅広いニーズに応えなくてはならないため、慣れるまでがとても大変……。

　そんな課題を解決するために生まれたのが、高機能なレジです。店員の目の前には大きな画面があり、操作方法がわかりやすく案内されるとともに、中国語やベトナム語など、その人が得意な言語で表示させることも可能です。

# 4. 勉強×IT

＊　＊　＊

ITというツールがあることで、みなさんの勉強の方法も大きく変わったのではないでしょうか?

住んでいる地域や家庭の状況など、生まれ育った環境によって、受けられる教育に大きな差があることを「教育格差」と呼ぶことがあります。

例えば、住んでいる地域によって、学ぶ場所の選択肢は異なります。公立・私立の学校数だけでなく、塾や予備校なども、たくさんの候補の中から選べる都市と、そうではない場所とがあります。

そんな格差を解消するために、さまざまなITサービスが生み出されています。

オンライン学習サービス『スタディサプリ』は、"世界の果てまで、最高のまなびを届けよう"がコンセプト。小学校高学年から大学受験生までを対象にし、塾や予備校に通いたいけれど近くにない、または経済的に通えないという人でも、スマホやPCから、実力派講師陣による5教科18科目、4万本以上の講義動画がいつでも何度でも見られる定額サービス。それぞれのペースやレベルに応じた進め方で勉強をサポートしてくれます。

こうしたオンライン学習サービスが、学校に行きづらいという悩みを抱える方々の助けになる例もあります。文部科学省は、小学生から中学生を対象に、自宅でITなどを活用した勉強を進めた場合、一定条件を満たせば「出席」として認めるようにするという方針を固めました。

オンライン学習教材『すらら』は、ひとりひとりのペースに合わせて、学年を超えて学習を進められるサービス。これまでユーザーの1200人以上が、学校の授業を「出席扱い」にできたという実績があります。政府による児童・生徒に1人1台のPCと高速ネットワーク環境を整備する取り組み(GIGAスクール構想)が進み、オンライン学習が不登校からの復帰につながったという人も増えているようです。

もしかしたらオンライン学習サービスが
学校の代わりになる日が来るかもしれないね!

# 5. 健康・医療×IT

　医療分野でも、ITがたくさん使われています。厚生労働省の定めるルールに基づき、一部の病院で導入されているオンライン診療サービスは、オンラインで予約や問診を済ませると、決まった時間にビデオ通話で医師につながり、診察を受けることができます。患者の負担は減り、通院のハードルを下げることにつながります。

　また、オンライン診療後に発行された処方箋をもとに、薬局から自宅に薬が届き、薬剤師がビデオ通話で薬の飲み方を教えてくれるというサービスもあります。

　医療者や薬剤師は、オンライン診療を導入することで、院内での感染リスクを軽減できるというメリットがあります。

感染症の拡大が心配な時に、オンライン診療の選択肢が増えるのはうれしいね。

　体を健やかに保つためのヘルスケアにも、ITを活かす試みがなされています。腕時計のように身につけられるデバイス（デジタル端末）は、歩数や移動距離、消費カロリー、体温、心拍数、眠りの深さや質といった基本的な健康情報を、ある程度正確に測定してくれるようになりました。

　こういったウェアラブルデバイスは、日頃の健康管理をしやすくするだけでなく、大きな病気を早く発見して知らせたり、治療後のフォローをしたりする役割を担うことが期待され、研究が進んでいるのです。

　例えば、IT企業各社は、採血をしなくても血糖値を測定できる機能を搭載したデバイスの開発に動いています。糖尿病の患者や予備軍が血糖値の変化に気づき、生活習慣を改善できたら、重症化を防ぐのに役立つので、ニーズが高いようです。

　人間だけでなく、ペットの健康管理のための製品やサービスも生まれています。例えば、猫の体重や尿の回数などを記録し、スマートフォンに知らせてくれるデバイス。飼い主が留守中もペットを見守ることに、ITが役立っています。

# 6. 妊娠×IT

＊　＊　＊

　妊娠している人は、お腹の中の赤ちゃんが成長するにつれ、体調に著しい変化を感じることが多いです。そのため、定期的に産婦人科で診てもらいながら、健康に気をつける必要があります。しかし、人によってはすぐに行ける病院が近くにない場合もあります。

> 病院に行かずとも、身体の中で起きていることがわかるといいのに……。

　そんな願いを叶えるために、アメリカのBloomlifeが開発したのが、妊娠している人向けのウェアラブルデバイス。小さくて薄いパッチをお腹にくっつけると、子宮の動きや妊娠している人と胎児それぞれの心拍を電気信号を使ったセンサーが感知。測定された内容はスマートフォンのアプリで確認することができます。これによって、妊娠している人はいつでも早産のリスクや陣痛がきていることがわかり、必要な時にはすぐに病院へ連絡をすることができます。

　子どもを産んだ後の生活をサポートする製品もたくさん出てきています。例えば、母乳をしぼる搾乳機も、アプリで機械を操作できたり、どれだけ搾乳できたかを管理したり、赤ちゃんに授乳した記録を残せたりと、ITによってどんどん便利になっています。

　近年、女性の体特有の悩みを技術で解決するものは「フェムテック」と呼ばれています。これまで女性の健康問題は、話題に上りづらかったり、見過ごされたりすることが多く、ひとりひとりが対応するしかない状況でした。しかし、最近は、個人の悩みが社会課題として目に見えやすくなり、解決を目指してフェムテックの研究・開発に取り組む人が増えています。
　月経の周期や基礎体温をスマートフォンで管理できるアプリを始め、不妊治療や更年期のサポート、乳がんの早期発見のための装置など、健康を守り、生活を便利にしてくれる製品やサービスは、これからも増えていくことでしょう。

# 7. 農業・畜産×IT

＊　＊　＊

　もともと農業は、土を耕し、苗や種を植えつけてから作物を収穫するまで、ほとんどの作業が人の手によっておこなわれてきました。近年、農作機やトラクターなどの機械が力仕事を担い、自動化や省力化が進んできた分野ですが、熟練した人の技術や判断が必要な部分は多くあります。しかし、農家の高齢化や人手不足が進み、食料を安定的に作り出せなくなるのではないかという危機感がつのっています。

　そんな中、ロボットやAIなどの技術を使った**「スマート農業」**が注目されています。空を飛ぶドローンは、上空から農薬や肥料、種をまくだけでなく、畑の写真を撮って情報収集することもできます。AIが画像を分析することで、作物の生育状況を管理することや、害虫や雑草が発生している場所を把握し、必要な対策をとることも可能になります。これによって、広い畑を人が見て回らなくてもメンテナンスができたり、農薬の量も適量に抑えられたりといったメリットがあります。

　昔から使われている農業機械もITによって進化しています。クボタの技術では、GPSやカメラ、センサーを駆使し、人が乗っていなくても自動で動くトラクターや田植え機、お米の収穫量と味わいを計測しながら自動運転アシスト機能を使って動かせる稲刈機なども実用化されています。これらによって、新しく農業を始める人へのノウハウの伝承や規模拡大も、スムーズになると考えられています。

　また、畜産業でもITの活用が広がっています。大分県のリモートが畜産研究所などと共同開発した「モバイル牛温恵」は、母牛の遠隔監視システム。牛のお産のリスクを減らし、24時間見守りをしなければいけない農業者の負担を軽くしたいという思いから生まれました。母牛の体内に入れたセンサーで体温を監視し、分娩の兆候や異常を検知できます。

　このような農業・畜産分野でのIT活用については、農林水産省が推進プロジェクトをおこなっています。ITを使うことによって削減できた労働時間を収穫物の生産拡大につなげたり、営業活動を増やすことで新たな販売先を確保できたりと、農業者にとってたくさんのメリットが実証されています。

# 8. アート×IT ＊ ＊ ＊

ITとかけ合わせることによって、アート作品との触れ合い方も多様になりました。今までは美術館に足を運んで作品を味わうことが一般的な鑑賞スタイルでしたが、自宅でインターネットを通して作品を鑑賞しながら、学芸員やキュレーターの解説を聞くという新しい体験ができるようになりました。

東京国立近代美術館では、一部の企画展について、展示会場の雰囲気を家でも楽しめる3DVR（3次元の仮想現実）を無料公開しています。展示室全体が3次元のモデルで再現されるので、自由に移動しながら作品を見たり、説明書きを読んだりすることができます。

Google Arts&Cultureは、世界80か国、2,000以上の美術館や博物館の作品をインターネット上で鑑賞することができるサービスです。パリ・オペラ座の舞台芸術から、NASAの美しい画像アーカイブまで、いつでもどこでも世界中のアートや歴史、人物、奇跡を探ることができます。一度鑑賞したことのある作品をじっくり細部まで見たい時などにも便利。最近は、学校の美術の授業など、複数人で鑑賞しながらディスカッションをする場面でも使われています。

建築物など、凹凸のある立体物に映像を映し出して表現する「プロジェクションマッピング」も、アートとITのかけ合わせと言えるかもしれません。スクリーンとなる立体物を正確に計測し、映し出す面に重なるように、アニメーションが作られます。光と影を際立たせたり、音楽や効果音を加えたりすることで、大きな建物がまるで動いているかのような臨場感が生まれ、空間そのものが劇的にデザインされます。近年、コンピュータ・グラフィックスの加工技術が向上したことや、高性能のプロジェクターが手に入りやすくなったことで、急速に広まりました。

また、「インタラクティブアート」と呼ばれる、参加型の作品も増えています。表現空間の中にいる鑑賞者の動きに合わせて、映像やサウンドが変化したり、アプリの操作によって、音楽やパフォーマンス、ゲームに参加できるようになったり。ITによって、アート表現の幅もどんどん広がっています。

# 社会課題×アプリ開発

さて次は、生活を楽しく、便利にしてくれるスマートフォンなどのアプリについて見てみましょう。なんと全世界で2100万本以上ものアプリが存在するそうです。

そんななか、中高生や大学生向けのアプリ開発コンテストも、国内外で盛んにおこなわれています。Waffleが日本のアンバサダーをしている「Technovation Girls」もそのひとつ。プログラミング初心者でも出場できるこのコンテストでは、少人数のチームを組み、企画の立ち上げからアプリ開発までをおこないます。最後には、審査員や他のチームの前でプレゼンテーションをします。

それぞれのチームがアプリを考案する際、トピックに上がる社会課題はさまざま。環境、食品ロス、アパレル、移民、政治、ヘルスケア、高齢化、バリアフリー、ジェンダーギャップ、フェミニズムなど。アプリ開発を始めることで、社会に目を向け、どんな課題があるかを知るきっかけになったという参加者もいます。

ITというツールを使えば、課題解決の速度がぐんと上がるよ！

ここでは、社会課題を解決するために生まれた3つのアプリを紹介します。

## 1. mymizu

「mymizu」はマイボトルに無料で給水できるスポットが検索できるアプリ。共同創業者のマクティア・マリコさんは、沖縄を訪れた際、美しい砂浜がプラスチックごみで埋め尽くされていることにショックを受けたことがきっかけで、このアプリを開発したそうです。

日本は水資源が豊富で、世界トップレベルの浄水技術を持つにもかかわらず、使い捨てのペットボトルが大量消費されています。このことに着目したマクティアさんは、単にプラスチックごみを減らすよりも、人々の消費行動を持続可能なものに変えていきたいという思いを込め、「給水でサステナブルがあたりまえな

世界に」をビジョンにかかげました。

mymizuの「給水マップ」を開くと、マイボトル に無料で水を入れられる「mymizuスポット」が地 図上にいくつも示されます。世界20万か所のカ フェや公共施設などがスポットに登録されている ので、あなたの生活圏や出かけた先でもきっと見 つかることでしょう。

また、給水したことで、どのくらいのペットボ トルと$CO_2$排出量を削減できたのかも確認できる ので「マイボトルを持ち歩こう!」という気持ちに させてくれます。さらに、1日に飲む水の量の目 標を設定することで、「そろそろ水を飲もう」とい う通知をくれるリマインダー機能もあるので、健 康を保つことにも役立ちます。

このアプリは、利用者が街で新たな無料の給水 スポットを見つけたらマップに投稿できるなど、共 創型のプラットフォームとして、環境問題に取り組 む人をつなぐコミュニティの役割も担っています。

## 2. WheeLog!

「WheeLog!」は、みんなでバリアフリー情報を共有して作るバリアフリーマップ です。誰もが訪れた街や施設での気づきを地図に書き込み、他の人と情報共有で きるので、車いすや杖、ベビーカーの利用者など移動に不安を抱える人が、通り やすい道や、利用しやすい施設を簡単に調べられます。

このアプリを提供している一般社団法人WheeLogは、「車いすでもあきらめな い世界」の実現を目指し、社会全体にバリアフリーへの理解を普及させる活動を おこなっています。

代表の織田友理子さんは、手足などの筋肉が萎縮していく疾患を抱え、車いす で生活をしています。子育て中のある日、インターネットで茨城県にバリアフリー 設備のある海があると知った織田さんは、家族で遊びに行き、レジャーを楽しん

だそうです。「バリアフリーの情報があれば、車いすユーザーも行動範囲を広げられる」。そう気づいてから、インターネット上で情報発信を始めました。多くの人々から反響があったものの、一人の発信力には限界があると感じ、WheeLog! を作ることにしたのです。

　WheeLog! の地図上には、車いす利用者が実際に走行したルートや、各地点の書き込みが写真付きで表示されます。書き込みをした人の体の状況もわかるようになっているので、利用者は自分の状況に照らし合わせて情報を入手することができます。ユーザー体験に基づいたバリアフリー情報を共有できる、新しいバリアフリーマップのプラットフォームです。

**走行ログ**
ユーザーが
車いすで通った道を
マップ上で共有

**スポット**
車いすユーザーが
利用できる施設や
設備をみんなで共有

## 3. ピリカ

　ごみ拾いSNS「ピリカ」は、ごみ拾いからコミュニケーションが生まれるアプリです。世界では、毎年約800万トンものプラスチックごみが私たちの生活圏から海に流れ込み、いずれ海は魚よりもごみのほうが多くなるとも言われています。

　自然界に流れ出し、生き物にまで影響を及ぼすごみ問題を、科学技術の力で解決しようと立ち上がったのが株式会社ピリカです。

　創業者の小嶌不二夫さんは、大学院で環境問題を研究していた頃、旅先の国や地域でポイ捨てなどで自然界に流出したごみの深刻な実態を目の当たりにしたそうです。「ITを使って、自然界に流出したごみをなくせるかもしれない」と考えた

小嶌さんは、大学時代の仲間と共に、ごみ拾いを楽しくすることを目指したアプリを開発しました。

SNSピリカでは、拾ったごみの量や場所を簡単に記録・集計・発信することができます。一人でごみ拾いをやっていても、誰にも気づいてもらえないなんてこともありますが、写真付きで拾ったごみや場所を投稿することで、他の人にコメントをもらったり、「ありがとう」を送り合うことができます。みんなで一緒にごみ拾いをしていることを実感できるので、続ける気持ちが湧いてきます。

また、アプリ内で作成されたごみ拾いイベントに参加することができるので、新しいコミュニティを作ることもできます。現在SNSピリカは世界100か国以上で使われ、これまでに2億個以上のごみが拾われています。

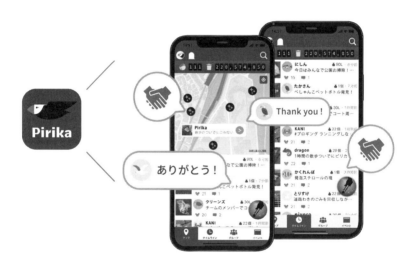

# あなたのウェブサイトを構想してみよう

普段、みなさんはスマートフォンやPCで、ウェブサイト（ホームページ）を見ることがあると思います。実はウェブサイトは無料で、簡単に作ることができるのです!

ウェブサイトを作ることで、自分がお知らせしたいことや表現したいことをインターネット上に発表し、拡散することができます。

ここでは「どうやって作り始めたらいいの?」という方のために、簡単に手順をお伝えします。

## ⌨ 1.作りたいウェブサイトの目的を考えよう!

自分で作るウェブサイトでは何を伝えたいのか?考えてみましょう。

以下のようなものが例として挙げられます。

**自分の好きなもの・ことを紹介するウェブサイト**
- ペット、植物、楽器、本、国、スポーツ
- 推しのアイドル、歌手、芸能人、アーティストなどなど…

**自分を紹介するウェブサイト**
- おすすめの〇〇、レビュー、日記、ブログ
- 自分の作品（絵や写真やYouTube）などなど…

**イベントの紹介ウェブサイト**
- 文化祭、コンサート、アロマ体験などのイベント告知
- 生徒会、部活の紹介などなど…

## ⌨ 2.ウェブサイトの内容を考えよう!

次に、ウェブサイトに載せる内容を考えます。まず、ウェブサイトに必要な情報を「目次」として書き出してみましょう。例えば、文化祭のウェブサイトを作るのなら、どんな情報が必要ですか?

(例) **文化祭のウェブサイトの目次**

・開催概要（日時・場所・周辺地図など）　　　・学生の参加方法

・学外の人の参加方法　　　　　　　　　　　・出店一覧

目次が決まったら、それぞれの項目に載せる内容を考えて書き出してみましょう。

(例) **文化祭のウェブサイトの内容**

開催概要

　・日付　　202X年11月3日(祝)

　・時間　　午前10時開場　午後5時閉場

　・場所　　◯◯高校

　・住所　　◯◯県◯◯市◯◯ X-X

### 学生の参加方法

チケットについて

　・チケットは、開催2週間前に先生から一人5枚ずつ配られます。

出店について

　・出店申込　　出店希望の団体は、以下の基準を満たした上で
　　　　　　　　9月30日までに◯◯先生に連絡してください。

　・出店基準

　　　① 顧問の先生がいること　　② 5人以上の団体であること

### 学外のみなさまへ

　学校に駐車場はありません。公共交通機関をご利用ください。

### 出店一覧

　・ホットドック　・タピオカティー　・おばけやしき…

# ⌨ 3.ウェブサイトのデザインを作ろう!

　ウェブサイトに掲載する内容が決まったら、デザインを考えましょう。Google スライドやパワーポイントなどを使うと、要素を入れ替えたり色を変えたりと、編集しやすいです。もちろん、最初は紙の上でもOK。先ほど書いた内容をどのように載せるか、イメージしながら配置してみましょう。

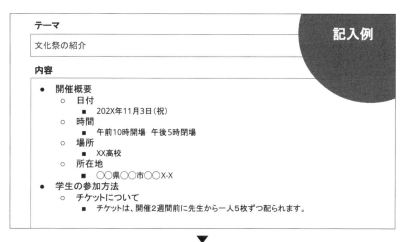

　続いて、デザインを加えていきます。フォントを変える、色を変える、画像を挿入する、など、色々と編集することができます。情報は変わらなくてもデザインを加えるとより伝わりやすくなります。

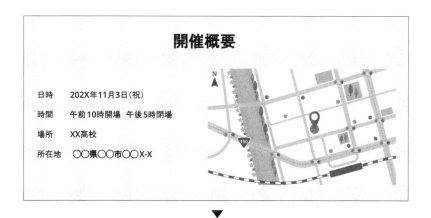

　ここまでできたら、トップビューをデザインしてみましょう。トップビューとは、ウェブサイトを開いた時に出てくる一番上のところで、ウェブサイトの顔になる部分です。そこに、メニューをつけたり、タイトルを大きく載せたり、大きな画像を載せたり。いろいろな見せ方があります。自分の好きなウェブサイトを参考にするのもいいかもしれませんね!

## ⌨ 4.ウェブサイトを作ろう!

　ここまで作ったデザインを、ウェブサイトにしていきます。いよいよ、ここからコーディング(コードを書く作業)の時間です。

　テキストや画像を掲載したり、リンクを押すと他のページに移動したりできるウェブサイトを作るためには、「HTML」と「CSS」という2つのツールが必要です。
　HTMLとは、ホームページの「内容」を記述するためのもの。ページ内の要素を「ここは見出し」「ここは本文」「ここは画像」などと意味づけるための言語です。
　CSSとは、ホームページの「デザイン」を記述するためのもの。HTMLでページを構成しただけでは、見た目の装飾がほとんどないページになってしまいます。そこでCSSを使えば、要素のデザインを設定することができます。
　……と、いきなり言語の説明をされても、何のことやら? という方もいるかもしれません。大丈夫、安心してください!

私たちが開催している無料のコーディングコース「Waffle Camp」では、プログラミングを0から始める参加者のみなさんに、事前課題として「Progate」の初級コースに取り組んできてね! とお伝えしています。

　Progateとは、初心者から学べるプログラミング学習サービス (https://prog-8.com/)。ブラウザ上でゲーム感覚で作業を進めながらウェブサイト開発などができるので、実践的に学べます。
　多種あるコースの中で、まずは「HTML/CSS初級編」に取り組んでみてください(所要時間4〜5時間)。

　コードを書く練習をした後は、「Glitch」(https://glitch.com) というサービスを使うと、HTMLを書きかえたり、CSSでデザインを足したりしながらウェブサイトを作ることができます。
　このように、みなさん自身で学び、試行錯誤しながらウェブサイト作りをするのも面白いと思いますし、プログラミング教室やワークショップに参加して、同じくらいの年齢・経験値の人たちと肩を並べて学び始めるのもきっと楽しいはず。

　Waffle Campは、参加者のほとんどが初めてコードを書く中高生たち。受講中は生徒2〜3人につき、大学生や社会人の女性エンジニアが1人ずつつきます。少人数クラスの丁寧な指導とサポートで安心して取り組める環境です。

＊Waffle Campのウェブサイト (https://www.camp.waffle-waffle.org) には、「Waffle Camp開催のお知らせを受け取る」というページがあります。ここにメールアドレスを記入していただくと、希望する方にはお知らせが届きます。ぜひチェックしてみてください!

＊巻末(P163〜)には、プログラミングに初めて取り組む方も学びやすい教材をまとめて紹介しているので、参考にしてみてください。

# ＩＴは女性たちが切り拓いてきた！

## エイダ・ラブレス （イギリス／1815-1852）

世界初のプログラマーはイギリスの貴族の女性!?

19世紀イギリスのヴィクトリア朝。幼い頃から母の教育方針で数学を教え込まれたエイダは、17歳で数学者のチャールズ・バベッジに出会う。彼が作った「解析機関」は、パンチ式カードによるプログラムの入力が可能な、現代のコンピュータの源流とも言え

る機械だった。エイダは、その新しい概念を理解した上で、そこに秘められたさまざまな可能性を思い描いた。これは単なる計算機ではなく、音楽や美術などの芸術作品さえ創り出せるとイメージしていたのだ。

## グレース・ホッパー （アメリカ／1906-1992）

「バグ」の発見者！「英文」のコードを発明したプログラミングの女王

子どもの頃から実験や機械操作が好きだったグレースは、世界大戦や大恐慌といった激動の時代に青春時代を過ごすも、イエール大学大学院で女性初の数学博士号を取得。30代後半で海軍の予備軍に参加。同時期にハーバード大学に勤務し、プログラム開発のリーダーとして活躍した。アメリカ初の電気機械式計算機「Mark I」や、世界初の商用コンピュータ「UNIVAC I」の開

発に携わる。プログラム内の不具合を「バグ」と呼ぶことがあるが、この言葉を広めたのも彼女。コンピュータ回路にがの死がいがはさまって不具合が起きた例を発見し、記録した。また、誰もがコンピュータを使えるようにしたいという信念を持ち、従来の「1」と「0」のくり返しではない、「簡単な英語」を用いたプログラミング言語「COBOL」を考え出した。

## 若宮正子さん （日本／1935-）

ITは何歳からでも始められる！世界最高齢のプログラマー。

81歳でゲームアプリ「hinadan」をリリースした若宮さんは、AppleのCEOティム・クックに「世界最高年齢のアプリ開発者」と紹介された人。「hinadan」は、ひな人形を正しく配置して、ひな壇を完成させるゲームだ。若宮さんは「今までシニアが簡単に遊べるゲームアプリがなかったため、『なければ、私が作っちゃおう』と思い立ったのが

開発のきっかけ」と著書に記している。若宮さんは、退職後の生活に不安を覚えていた60代の頃、「PCがあると、一歩も外に出なくても、いろんな人とおしゃべりができる」と聞きつけ、即購入。インターネット上の趣味コミュニティに参加し、ユニークな人々と出会い、やがてプログラミングを学ぶようになったという。

# PART.3

## ロールモデルを
## 見つけて
## 夢を
## ふくらまそう

# ITエンジニアのお仕事カタログ

ここからは、ITやプログラミングを学んだ先にどんな道があるのか、みなさんが具体的にイメージできるように！ という思いを込めて、ITを使って製品やサービスを作る＝「開発」に携わるいろいろな職業を紹介します。

## 1. ITエンジニアってどんな仕事？

「エンジニア」は、技術者という意味ですが、言葉の指し示す範囲が広く、仕事の内容も多岐にわたるので、「エンジニアってこんな人！」と思い浮かべるのはなかなか難しいかと思います。一般的には、工学に関連する専門的な技術や能力を持つ職種を総称して「エンジニア」といいます。

エンジニアに「IT」がつくと、IT関連の仕事をする技術者のことを指します。そして、ITエンジニアの仕事はたくさんの種類に分けられています。

## 2. ITエンジニアはどういう業界で働いているの？

「IT業界」という言葉は、ハードウェアやソフトウェア、情報処理システム、インターネット上のサービスなどを提供する企業の集合体を指すことが多いです。

しかし、いまやITは私たちの生活を支えるインフラのひとつ。どんな業界で働く人もIT企業と提携したり、ITのサービスを利用したりしています。そのため、ITエンジニアがかかわっていない業界はほぼないと言えるでしょう。家電、ゲーム、自動車などのメーカー、ガスや電気などのライフライン、スーパーやコンビニなどの小売業……。あらゆる分野でITエンジニアが活躍しています。

## 3. ITエンジニアたちのお仕事

では、ITエンジニアたちがそれぞれどのように開発にかかわっているか、見てみましょう。

## ✿ システムエンジニア（SE）：

システムやサービスを作る時、作るものにどんな機能が必要なのかを明らかにし、実現するにはどうすればいいのか、全体の設計図を考える。

開発するものがアプリケーションの場合は「アプリケーションエンジニア」、ハードウェアを動作させるためのプログラムの場合は「エンベディッド（組み込み）エンジニア」と呼ばれることもある。設計書をもとにプログラミングをする仕事を「プログラマー」が担う場合もある。

## ✿ フロントエンドエンジニア：

ウェブサイトの表側（ユーザーが見える部分）の設計や構築をおこなう。ウェブデザイナーが作成したデザインをもとに、HTML/CSSやJavaScript、PythonやRubyといった言語を使って、ウェブサイトを構築する。見た目のデザインや操作のしやすさを追求する仕事。

## ✿ バックエンドエンジニア：

ユーザーが操作した内容に応じた処理、つまり「ユーザーが見えない部分」の設計や構築をおこなう。通販や予約サイトのように大量のデータを保存・管理するプログラムを作る。一度に大勢の利用者が来てもサイトが落ちないことなどを追求する仕事。RubyやPython、Go、Java、PHPといった言語を使う。「サーバーサイドエンジニア」と呼ばれることもある。

## ✿ iOSエンジニア・Androidエンジニア：

スマートフォンのアプリを開発するITエンジニア。iOSにはSwiftやObjective-C、AndroidにはJava、Kotlinなどのプログラミング言語が使われている。

## ✿ インフラエンジニア：

ソフトウェアやシステムが動作する基盤の設計や構築、保守を担う。ITの世界で「インフラ」とはサーバーやネットワーク、データセンターなどの「基盤」のことで、ウェブサイトやアプリなどを動かすためのとても重要な部分。インフラエンジニアは、担当する範囲によってさまざまな仕事がある。

## ✿ サーバーエンジニア：

ウェブサイトやモバイルアプリからのアクセスを受け付けるサーバーコンピュータの設計や管理をする。メールを送受信するためのメールサーバー、ウェブサイトを表示するためのウェブサーバーなど。サーバーの設定や、壊れてしまった時の復旧もする。

## ✿ ネットワークエンジニア：

システムが動作するためのネットワークの設計や、ルータやロードバランサー、スイッチといったネットワーク専用機器の設定をおこなう。私たちが普段インターネットや通信機器を使うためのネットワークを構築、運用する仕事。

## ✿ データベースエンジニア：

データを保存し、また保存されているデータを取り出すシステム「データベース」を設計、構築、運用保守する。例えば、通販サイトで閲覧できるたくさんの商品のデータやお客さんの情報は、データベースで管理されている。それらを守る重要な役割を担う。

## ✿ セキュリティエンジニア：

システムが持つ重要な情報を管理し、セキュリティの脅威（きょうい）からシステムを守る。お客さんの個人情報や企業内で扱う機密情報の漏（ろう）えい、セキュリティの弱い部分をついたサイバー攻撃によるシステム停止、コンピュータウィルスの感染など、さまざまな脅威への対策をする。

## ❀ クラウドエンジニア：

クラウド上でサーバーやネットワークを構築、保守監視する。「クラウド」とは、ユーザーにインターネットなどのネットワークを通じてサービスを提供する形態のこと。

## ❀ サイト・リライアビリティ・エンジニア（SRE）：

ITインフラに関わる作業をソフトウェアを使って自動化し、運用を改善したり、システムが安定して動くようにするエンジニア。

大きな組織では、このように分業していることが多いけど、なかにはすべての技術を持ったエンジニアもいるよ。

## ❀ フルスタックエンジニア：

P59で紹介したフロントエンドエンジニアやバックエンドエンジニアがおこなう開発業務と、P60で紹介したインフラエンジニアがおこなう基盤構築の両方を担う。特にスタートアップやベンチャー企業など、少ない人数で仕事を回さなければならない時に活躍する。

これまで本文に何度も出てきた「AI」を使うためのエンジニアもいるよ。

## ❀ AIエンジニア：

AI（人工知能）を使ったサービスや製品を作るエンジニア。AIをどのように使うか設計するとともに、AIにデータを入れて学習させたり、AIを使ってデータを解析したりする。「機械学習エンジニア」と呼ばれることもある。PythonやC、C++を使う。学生の時からこの分野の研究に取り組んでいたり、大学院を修了してからこの職に就く人も多い。

〈その他のエンジニアや、関連する職種〉

❉ **テストエンジニア：**
書かれたプログラムをテストすることを専門におこなうエンジニア。

❉ **サポートエンジニア：**
製品やサービスを使っているお客さんの問い合わせに対応するエンジニア。

❉ **セールスエンジニア：**
製品やサービスについての専門知識を持ち、お客さんが製品を導入するのを
助けるエンジニア。

❉ **プロジェクトマネージャー：**
開発プロジェクトが予定通りに進んで完了するように、メンバーやお金、
スケジュールなどを管理する仕事。

〈分野別プログラミング言語の一例〉

| | |
|---|---|
| 組み込みソフトウェア* | C、C++、Java |
| ウェブサイトの表側の構築<br>（フロントエンド） | JavaScript、Python、Ruby |
| ウェブサイトの裏側の構築<br>（バックエンド） | Ruby、Python、Go、Java、PHP |
| スマートフォンアプリ | Android：Java、Kotlin<br>iOS：Swift、Objective-C、Kotlin |
| AI/機械学習 | Python、C、C++ |
| ゲーム開発 | C#、C++、JavaScript、Swift |

＊組み込みソフトウェア：家電や産業機器に搭載された、特定の機能を提供するためのコンピュータシステム。

ロールモデルを見つけよう

# IT分野で活躍する
# 16人に
# インタビュー！

ロールモデルとは、
将来や進路を考える時に
「あの人みたいになりたい！」と
お手本にする人のこと。
「わたし×IT」のパワーで輝く人たちの
色とりどりなストーリーを読んで、
夢をふくらませてみましょう。

高校2年生

藤原七海さん
(ふじわらななみ)

エシカルファッションの
ECアプリを
作って広めたい!
「こうしたいな」を
自分の書いたコードで
実現できたら、楽しい。

**PROFILE** 山梨英和高等学校に通う高校2年生。子どもの頃から好奇心旺盛で、英語や国際的な分野に興味を持つ。高1の時に「Technovation Girls」に参加し、プログラミングを本格的に学び始めた。現在は、エシカル・ファッションを誰もが簡単に買えるECアプリ「Ethi」を開発している。「ゼネテックDXチャレンジ2022」学生部門では、優秀賞に輝いた。演劇部でも活躍中!

## Q どんな小中学生だった?

子どもの頃から、好奇心も行動力もあるほうだったのかなと思います。好奇心がありすぎるせいで、授業でも、先生がたまにする雑談に気を取られてしまって、「あれ、授業の本筋なんだっけ?」といったことはよくありました。

## Q 今の高校を選んだ理由は?

私が通っている学校は、県内で唯一の私立の女子中高一貫校。英語にすごく興味があったので、留学にも力を入れている国際的な学校に入りたいと思って選びました。もともと英語をバリバリ勉強していたわけではないんですけど、小学生の時にホームステイを経験したり、中学生の時にカナダに1ヶ月行かせてもらったりして「英語で会話をするのって楽しいな」、「こんなに通じるなんて、すごい!」という実感があったので、英語は好きでした。

## Q 女子校のいいところは?

　入る前は、共学でも女子校でもどちらでもいいと思っていたのですが、いざ入ってみると女子校はすごく楽しくて、「入ってよかった! 女子校以外は考えられない!」と思っています。先生以外に男性がいないので、男性の目を気にすることがないし、女の子らしさを求められることが少ない。くだらないことでも何でも言い合えて自由です。

## Q どのようにして文系／理系を選んだの?

　高1の時に文理選択がありました。数学が楽しかったし、情報分野に興味が出てきて、お母さんにも「文系から理系に転向するのは難しいけど、理系から文系に移るのは簡単だよ」と言われたのもあって、理系に決めました。私は文系も理系もどちらも興味があるので、進路を考えなきゃという時に「いろんな学部に興味があるから、全部受けたいな〜」と思ったんです。文理融合系の学部がある大学に進めば、受けたい授業を好きなように受けられるのかな? とも思っています。

## Q ITに興味を持ったきっかけは?

　私の通っていた中学校は、個性を尊重する自由教育の学校でした。中1から自分たちで月刊の雑誌を作る活動があって、そのための原稿はPCで書くんです。先生が使い方を教えてくれて「うわ、めっちゃ楽じゃん!」と。それからは絵を描く時にも、PCとペンタブレットを使ったり。

　あと、中学のクラスメイトがプログラミングをやっていて、もともとプログラミングってかっこいいなというイメージがあったので、「あの子がやってるんだ! じゃあ私もやってみよう」と。「Progate*」でHTML*やCSS*を少しだけ学びました。最初は簡単なものからやってみて、「おっ、動く動く。へえ〜! すごい」という感じでした。進路選択に影響するほどプログラミングに興味

---

*Progate:「初心者から、創れる人を生み出す」が理念の、オンラインプログラミング学習サービス（詳しくはP163へ）。

*HTML/CSS:いずれもウェブサイトを作る時に使う言語。HTMLでウェブページの骨組みを作り、CSSでデザインを指定する。

が出てきたのは、高校に入って「Technovation Girls」(P8) に参加してから。お母さんが英語や国際的な分野のことを調べていたら、「Technovation Girls」を知ったそうで、「こんなのあるよ」と教えてくれたんです。参加してアプリを作ってみると、私はむしろプログラミングのほうに興味を持ちました。

## Q 「TECHNOVATION GIRLS」に参加してどうだった？

実際にアプリを作るのはすごく大変でした。HTMLはちょっとかじっていたので、基礎的なところは役に立ったかなと思うんですけど、サポートをしてくださるメンターさんにかなり頼っていましたね。自分で調べているだけではすごく時間がかかるし、無理なことがたくさんある。それなら、頼りまくらせていただこうと……! 1週間に2回ぐらい質問できるオフィスアワーの機会があるので、積極的に参加してガンガン質問しました。

アプリを作るためには、ブロックプログラミング*を使う人が多かったんですけど、私は使いづらさを感じていました。UI*も良くないし、チームで取り組むのにも向いていない。メンターさんにもアドバイスをいただき、よいプロダクトを作ることを優先して、コードを直接書いて作ることにしました。

私が使った「Flutter*」は日本ではあまり有名ではないので、エラーが出た時に調べても出てくるのは英語の情報ばかり。そこまで英語力はないので、苦労しました。

## Q どんなアプリを作ったの？

「Ethi」というアプリを作りました。エシカルファッションってご存じですか? 働く人の人権問題、フェアトレード、環境にやさしい素材を使うなど、いろいろな観点があって、それらに配慮した倫理的なファッションをエシカルファッションというんです。それを誰もが簡単に買えるECアプリを目指して開発しました。

---

*ブロックプログラミング：プログラムのコードをテキストで入力しなくても、ブロックを組み合わせてできるプログラミング。

*UI：User Interfaceの略。ユーザーにとっての使いやすさや見た目のこと。
*Flutter：Googleによって開発されたオープンソースのソフトウェア開発キット。

# Q どうしてエシカルファッションに興味を持ったの？

　中学生の時に社会の授業で『ザ・トゥルー・コスト〜ファストファッション 真の代償〜』\*という、ファストファッション業界の裏側を扱った映画を観たのがきっかけです。「これって自分がいつも身につけている服のことだな…」と衝撃を受けました。もともと服装はあまり気にしないタイプでしたが、映画を観てから、エシカルな服を買うように心がけました。でも、探すのが難しくて……。元から量が少ないことに加え、まとめて検索できるサービスがない。エシカルにもいろいろあるので、ウェブで検索すると、私が興味がある人権系のエシカルの他に、環境系のエシカルもヒットしてしまう。「あっ、いい服がある！買いたい！」と思ったら、人権的に配慮しているかが書かれていないから、これじゃだめだ〜と。そういうことが積み重なり、エシカルファッション専門のECアプリがあればいいのになと思ったんです。

　SNSや私のまわりでは、「ファストファッション、素晴らしい！」という声をよく聞くので、立ち止まって考えてもらうために、今こそ必要なのかなと。

　もしアプリを作れなかったら、せいぜいエシカルファッションを自分で買うぐらいしかできなかった。でも、このアプリが完成していろんな人の役に立ったら、それはすごく大きなことだと思うので、雲泥の差ですよね。

# Q チームでアプリ開発をしてみて、どうだった？

　自分ひとりじゃ、こんなにがんばれなかっただろうなと思います。自分では思いつかないようなアイデアをメンバーが言ってくれるのもうれしかったし、チームがいるからこそ責任感も生まれて、しっかりしなきゃと思えました。また、他のチームの人ともDiscord\*でつながっていて、エシカルファッションに興味がある人のための部屋で意見交換できたのは、すごく刺激的でした。

---

\*『ザ・トゥルー・コスト〜ファストファッション 真の代償〜』：ファッション産業の今と、向かうべき未来を描き出すドキュメンタリー。（アンドリュー・モーガン監督／ 2015年製作／アメリカ）

\*Discord：通話やチャットでコミュニケーションをとれる、アメリカ発のボイスチャットツール。

今は、遠くに住んでいるメンバーと二人で開発を続けています。先日まで定期テストの勉強に励む日々だったんですけど、今日からコーディングを始めなきゃいけなくて。部活が18時半まであるので帰宅が遅いのに、そこからコーディングもして……あぁ、寝るのは何時になるだろう! と (笑)。大変だけど楽しいです。

## Q プログラミングの楽しいところは?

自分の書いたものがどんどん形になっていくことに、すごくワクワクします。もともとやっていた簡単なプログラミングは、言われたことをその通りにやってみる、といった受け身な学習だったんですが、「Technovation Girls」は自発的。1から書くのと0から書くのとは違うので、それはすごく難しい一方で、圧倒的な達成感を得ました。

あと、英語が通じなくても、コードがあれば意外となんとかなるんだと知れたのは大きいです。もともと言語の壁って大きいなと思っていたのですが、メンターさんに質問をしているうちに、どんどんコードが読めるようになってきたんです。メンターさんは英語を使うので、メンバーの子に通訳してもらいながらコミュニケーションを取っていました。ある時、英語で言われてわからないことでも、コードで言われると、ああそういうことか! とわかった瞬間があったんです。

## Q これからの目標は?

何かしたいな、という時に、利益の出ない趣味でもいいので、気軽にプログラミングをしてITを使えたらなと思います。

一方で、私には職を失ったり、働けなくなったりすることへの恐怖があるんです。その解決策として、英語でもプログラミングでも、何かしらスキルを持っていれば役に立つのかなと思います。もし英語が使えたら、海外で働く場所が見つかるかもしれない。大学に入ったら、海外留学もしたいなと思っています。

私が知っている社会課題の中で、一番ショックを受けたのがファッション産業がエシカルではないという問題なので、このテーマには長い目でずっと取り組みたいです。少なくともアプリが完成して広まるまでは、絶対に続け

たい。

　でも、私の知らない社会課題は他にもたくさんあるので、もし興味を持てるものがあったら、同じようにアプリを開発するでもなんでも、良い方に進むようにやってみたいです。微力かもしれないですけど、何かを作って貢献したいなという気持ちは常にあります。

読者のみなさんへメッセージを！
＊　＊　＊

　スマホでもiPadでもPCでも、無料でプログラミングを学べる時代だと思うので、興味があったら、10分でもいいので、やってみてほしいです。やってみたら多分ハマると思うので。特に「Progate」（P163）はおすすめです。iPadを使っている方なら、「Swift Playgrounds*」というアプリを入れるときっと楽しく学べると思います。頭の中で「こうしたいな」と想像していたものが、自分でコードを書くことによって、動き出すというのはすごく達成感がありますよ！

　私は、物事を言語化するのがすっごく苦手なんです。脳内でぐちゃぐちゃに考えているので、それを論理的に「こうだからこう、こうだからこう」と話すのが苦手だったんですけど、プログラミングをやるようになって、少し改善されたかなと思います。プログラミングでは、「AだからB」と論理的に書くんです。頭で考える時点で、「AだからB」と物事の前後関係を明確に捉えるようになったと感じています。

*Swift Playgrounds：Appleが2014年にリリースしたiPad・Mac対応の無料アプリ。
プログラミング言語「Swift」を、インタラクティブに学ぶことができる。

高校3年生

# ゆう猫さん
（ねこ）

マイノリティが、
もっと生きやすい社会を
目指したい。
ITは、私たちの
「伝えたい」気持ちを
100倍にして
届けてくれる！

**PROFILE** 埼玉県の公立高校に通う3年生。アニメが好きで、ロボットや工学に興味を持つ。高1の時に「Technovation Girls」に参加し、Microsoft賞を受賞。副賞としてPCをゲット。その後、Code for Japanが開催する「Civictech Challenge Cup」でも、バージョンアップした企画で複数の賞を受賞。経済産業省の有識者検討会にも参加し、セクシュアルマイノリティの立場から意見を届けた。

## Q ITに興味を持ったきっかけは？

　アニメが好きで、デジタル技術やロボットってかっこいいと思っていました。『PSYCHO-PASS サイコパス』*というSFアニメがあって、AIが人間を統治しているディストピアの話なんですけど、単純に「ドローン同士の戦闘シーン、かっこいい！」って。中学生の時からそういう世界観に憧れていたので、これにつながるのはITなんだろうなと感じていました。

## Q どんな小中学生だった？

　小中学校の勉強は、どれも楽しかったです。でも、暗記は得意じゃないので、

*『PYCHO-PASS サイコパス』：Production I.G制作によるオリジナルTVアニメ。人間の心理を数値化して管理する近未来社会を舞台に、正義を問われる警察機構を描く。

歴史や漢字のテストは苦手。算数や数学は、図形は楽しいけど、計算が速くないしミスもするので、ひたすら計算をやるテストはボロボロでした。プログラミングも勉強したかったけど、自分のPCを持っていなかったので、ずっとあきらめていました。当時、インターネットにつながって自分で触れるものはニンテンドー3DSくらい。ひたすらゲームをやったり、動画を見たり、インターネットにどっぷりみたいな人間でした。

## Q 今の高校を選んだ理由は?

　都会に行きたいという気持ちが強かったんです。埼玉県の北部に住んでいるので、電車一本で行ける都会の学校に入れば、定期券もあるし休みの日にも遊びに行けるなと思って。受験生の時は数学にハマっていたので、優秀な人がいる学校で数学を学びたいなという気持ちもあり、理系に強い学校を選びました。今の高校は、9クラス中5クラス以上が理系です。

## Q どのようにして文系／理系を選んだの?

　高1の時に文理選択があって、迷わず理系を選びました。文系なら社会学の統計とかも面白そうだなと思いつつ、理系で学んでおけば、他の分野に興味が湧いてもあとからどうにかなりそうだから、とりあえず理系かなと。そもそも高専(高等専門学校)に行こうかと考えていたくらい、将来は工学をやりたいと思っていたんです。進路について、親に反対されたことはないのですが、「工学の分野は女性の人数が少ないし、理系の学問で大成するのは大変だよ」とは言われていました。そういう現実を知りつつ、それでも自分は工学をやるけど、と意志は固かったです。

## Q プログラミングはどのように学んだの?

　中学生の時は、情報の授業で与えられたサンプルのコードを書き写していじっていました。その後、図書館で調べたり、「Progate」(P163)でちょっとずつプログラミングをやっていたんです。でも、家の共用PCだと限界があって、環境構築を自分でやるのは無理だとあきらめていました。

　そんななか、高1の最後に「Technovation Girls」(P8)に参加したことが、自分にとって大きな転機となりました。その少し前、Waffle主催のイベントに、ス

プツ二子！＊さんがゲストで登壇されると知って、「アートとITをかけ合わせる話って面白そう！」と思って参加したんです。そのイベントで、前年度に「Technovation Girls」に参加した中高生たちの話を聞いて、「すげーなー」と思って。でも、自分のPCを持っていないからな、優秀じゃないからな、とためらっていたところ、PCをレンタルできると知り、無料でプログラミングが学べるぞ、PCも何ヶ月も借りれるぞ、と。「これは最強だー！」と思い、応募しました。

## Q どんなアプリを作ったの？

　発言者が意図せず、セクシュアルマイノリティに対して発してしまう攻撃的な言動を減らすためにどうすればいいか？ 差別や偏見からくる感情を減らすためにできることはないか？ という問いを立て、SNSの設計を考えました。

　セクシュアルマイノリティの当事者は、統計で見たら、**40人クラスのうち1人2人、いや、もっといるわけです**＊。でも、学校の先生がここにはいないと思って**シスジェンダー**＊と異性愛者を前提とした発言をすれば、生徒もみんな同じように行動してしまう。その「ここにはいないよね」という意識を変えたいと思ったんです。

　例えば、SNSの趣味のコミュニティの中に当事者がいると知った人は、別のコミュニティにだっているかもしれないと思うようになる。そうしたら、攻撃的な発言を減らすことができるのではないかと考えました。

　課題はたくさんありました。SNS上で当事者がいると知らせるためには、当事者に個人的な情報を公開してもらわなくてはならないので、ハードルがある。どうやって安全な言論空間にできるのか。ユーザーに知識がなかったらどうするか。もし差別的・攻撃的な発言があったらどのように対処するか。そういう問題ごとに機能を付け足しながら、より良いコミュニケーションが生まれるSNSを作りました。

━━━━━━━━━━━━━━━━━━━━━━━━━━━━━━━━

**＊スプツ二子！**：アーティスト／東京藝術大学デザイン科准教授。テクノロジーやジェンダーをテーマとした作品で知られる。

＊日本におけるLGBTQの割合は、調査機関・調査方法によってデータが異なるが、日本の民間団体による調査にもとづくと、LGBTは人口の3％～10％と言われている（2023年現在）。

## Q 「TECHNOVATION GIRLS」で 楽しかったことは?

　「Android Studio*」でJavaを使ってアプリを作ったのですが、動画を見ながらコードの勉強をしている時は楽しかったですし、課題に対して調査するのも楽しいし、ミーティングの時も楽しかったですね。……全部楽しかった（笑）。

　発表は、緊張しすぎましたね。でも、見てくれた人が「こういう課題について知れてよかったです」と言ってくれて。自分の声がリアルにいろんな人に届いている、すごい! と。めちゃくちゃうれしかったです。

　Microsoft賞をいただき、Surfaceの良いPCをゲットして、家でプログラミングをする環境が整い、道が開けました。

## Q 「TECHNOVATION GIRLS」を経て、 変わったことは?

　私は学問が好きなので、将来は「研究者になれたらいいな」と思っていたものの、それ以外の選択肢がまったく見えていませんでした。まわりにエンジニアはいないし、工学を学んだ先にどんな進路があるのか想像もできなかった。でも、「Technovation Girls」に参加してから、エンジニアとして働く道もあるんだとわかって。エンジニアは需要があるし、待遇の良い仕事だと知ったので、ためらわずにITの道を選べるなと思いました。大学を出て働いてから、研究に戻ることもできる。いろんなルートを知れてよかったです。

　あと、コンピュータサイエンスに強い大学は、海外のほうがいっぱいあるので、そこで学問をやりたいと思ったら学部からでも行けると知れたのもよかったです。

---

*シスジェンダー:性自認（自分の性をどのように認識しているか）と生まれた時に割り当てられた性別が一致している人のこと。

*Android Studio:Googleが提供するAndroidプラットフォーム向けアプリケーションソフトウェア開発用の統合開発環境。

## Q ロールモデルや憧れの存在はいる?

　台湾のデジタル担当政務委員であるオードリー・タン*さん。著書を読んで、めちゃくちゃ感動しました。日本に近しい存在はいないし、自分がなれたら最強だなと。そして、スプツニ子! さん。IT分野にいながら、マイノリティに対してメッセージを送る人たちの存在に救われてきましたし、憧れます。

　自分がマイノリティだからこそ、マイノリティの抱える課題に気づいて、ちゃんと指摘して、改善する。そういうエンジニアや研究者になりたいし、コミュニティをもっと多様にするために行動できる人でありたいです。

## Q 経済産業省の有識者検討会ではどんなことを話したの?

　経済産業省は、デジタル人材不足解消のために「デジタル関連部活支援の在り方に関する検討会」という有識者検討会を開き、次世代を担う中高生等のデジタル関連の部活動や地域クラブ、個人活動に対する支援の在り方について議論していました。私はWaffle代表の田中さんにお声がけいただいて、セクシュアルマイノリティの立場から、その検討会に参加しました。大人が30人くらいいる中で、高校生は私ひとりなのでめちゃくちゃ緊張しました。

　そこでは、プログラミングコンテストをジェンダー・インクルーシブ*な環境にするためにはどうすればいいか? について話しました。具体的には、個別の質問タイムがあると不安が取り除かれて良いとか、応募形式は多様であってほしいとか。運営する側や審査員のバランスも大事にしてほしいという話もしました。自分と同じ属性の方がいると、相談しやすいですから。多様な属性を持つ人が、運営側、審査員にいることが大事。また、学校でも、性の多様性に関する基礎的な知識は学ぶ必要があるという話もしました。最終的に提言の中に私の意見がたくさん入ったので、うれしかったです。

---

*オードリー・タン:台湾のデジタル担当政務委員／プログラマー。35歳という史上最年少の若さで入閣。世界で初めてトランスジェンダーであることを公表した閣僚として知られ、アメリカの外交専門誌『フォーリン・ポリシー』のグローバル思想家100人にも選出されている。

*ジェンダー・インクルーシブ:多様な性を認め合い、性別に関係なく、すべての人を受け入れる包括的な姿勢のこと。

# Q 勇気を出すためにはどうしたらいい?

　LGBTQ＋の運動だと、私たちマイノリティが生きているだけで、社会に対して抵抗になる。わかりやすい社会運動ができるわけでも、デモに行けるわけでもなくても、ただこの社会でアイデンティティを持って生きているだけで、社会に対する抵抗であるという言説があります。私はそれに救われているんです。私たちマイリティは存在していて、誰かの脅威になるわけでもなく日常を過ごしている。どんな人の存在も、社会から否定されるべきものではない。そういうメッセージに、毎回勇気づけられています。

読者のみなさんへメッセージを！
＊　＊　＊

　　私はもともとインターネットが好きです。インターネットは自由を与えてくれるから。名前や属性をあえて隠すこともできるし、あなたのセクシュアリティや、今まで歩んできたバックグラウンドを尊重してくれるコミュニティは山ほどあると思います。

　　さらに、ITを使えば、自分の思いを伝えることも簡単になります。これが問題だよとか、こんな解決策を考えたよとか、これは嫌だとか、これは楽しいとか。何かを伝えたいという原動力でプログラムを書いて、公開して、発表して。そうすることで誰かがあなたの声を聞いてくれる。それはあなたにとってうれしいことだし、聞いた相手にとっても貴重な体験になるんです。ITを使えば、あなたのパワーは100倍以上になります。

　　現在は、ITに触れることができなかったり、環境がなかった人たちに対して、優しく開かれた場があります。1から学んで作り上げることをみんなが横並びでやっているので、心配せずに挑戦したらきっと楽しいと思います。私もすごく楽しかったし。

# 高校3年生

# 杉山恵呼さん

プログラミングは、
学べば学ぶほど面白いし、
いいものが作れる。
一歩踏み出して
仲間と出会ったら、
世界がもっと広がった。

**PROFILE** 大妻多摩中学高等学校に通う、高校3年生。高1の夏休みに参加した「Waffle Camp」で初めてコーディングを体験し、「Technovation Girls」でアプリ開発にもチャレンジして楽しさを実感。それ以来、情報系に進みたいと考えるようになる。バトン部や生徒会でも積極的に活動しながら、同じ進路を目指す仲間とともに勉強に励む日々。

## Q どんな高校生活を送っているの?

私は中学生の頃からバトン部で、団体競技で全国大会に出ることを目標に練習に励んでいました。でも高校生になった途端、コロナ禍で大会がなくなってしまって……。気づいたらもう最終学年だったんです。有終の美を飾りたい! とみんなでがんばって、最後は全国大会に出場できました。この数分間のために5年間がんばってきたんだなと思うと、幕が開く瞬間に涙が出ました。

部活は引退したので、今は受験勉強に集中しています。大変なので、まわりの仲間と励まし合い、助け合いながらやっています。

## Q どのようにして文系／理系を選んだの?

高校に上がる前からもう「理系しかないな」と思っていました。まわりには、まだ決まっていないという人も結構いたんですけど、私は迷いませんでした。算数は小学生の頃から好きだったし、中学生の時は、週に2回ある理科の授業

のうち1回は実験で、それが楽しかったんです。

## Q ITに興味を持ったきっかけは？

　小学生の頃に父親のMacを見て、かっこいいと思って、Macユーザーのための月刊誌を図書館で借りてきて、ずっと眺めていました。いつかMacをゲットできたら自分でいろいろ動かしてみたいなと。それが最初にITに触れたきっかけです。今はプログラミングに興味があるんですけど、私が子どもの頃は今ほどプログラミングができるような環境がなく、まったく知らなかったんです。

　ロボットなどの工学に興味を持ったのは、『バック・トゥ・ザ・フューチャー』*という映画を見てから。「デロリアン*、すごいなー！」とワクワクして。そういうものづくり系に進みたいなと思っていた時期がありました。

　コードを書く体験は、高1の時に参加した「Waffle Camp」(P8)が最初でした。コロナ禍であまり外出できない時に、「でもせっかくの夏休みだし、オンラインで何かワークショップに参加してみたいな」と思って、いろいろ検索していたら、女子とジェンダーマイノリティ向けにオンラインでコーディングを学べるコースがあると知って、すごい！ と思って参加してみることにしました。

　「Waffle Camp」で楽しく取り組んだ経験が、情報系の進路を選ぶきっかけにもなりました。もし参加していなかったら、今の道には進んでないと思います。自分から行動してみて、本当によかったなと思います。

## Q 「WAFFLE CAMP」に参加して、どう変わった？

　「Waffle Camp」は、ひとつのウェブページを作るためにコードの書き方を学ぶという内容。事前学習が結構大変だったんですけど、食らいついてがんばりました。

---

*『バック・トゥ・ザ・フューチャー』：高校生がタイムマシンで時空を旅して巻き起こす騒動を描いたSFコメディ映画。（ロバート・ゼメキス監督／ 1985年製作／アメリカ）

*デロリアン：映画『バック・トゥ・ザ・フューチャー』シリーズに登場する天才科学者エメット・ブラウン博士が、自らの愛車を改造して製作した車型タイムマシン。

その後、高校で1年間かけて論文を完成させるという探究の授業があったので、私は食品廃棄の削減をテーマに、ウェブページを作ることにしました。食品廃棄の現状を知らせたり、残飯の量で発展途上国の子どもたちの給食がどれくらい作れるのかというのを計算できたりするサイトを作って、論文の中にも組み込みました。提出後、先生方から良い評価をいただいて、うれしかったです。

コーディングって難しいんですけど、学べば学ぶほど面白いし、いいものが作れるんです。それで自分でもがんばってどんどん勉強するようになりました。その後、高2の時に「Technovation Girls」(P8) というアプリコンテストにも参加しました。

## Q 「TECHNOVATION GIRLS」に参加してどうだった？

「Technovation Girls」では、アプリのプログラミングを勉強しました。それまで作っていたのはウェブページだったので、アプリを作るって難しそうだなと思っていたのですが、実際やはり難しくて……。外国人のメンターさんと英語で会話したり、同じグループの子に助けてもらったりと、大変ではあったんですけど、参加してよかったです。

もともと個人で申し込みをして、チームは初めましての方と組みました。私がアプリを作る担当で、彼女がマーケティング担当。チームの名前は"Eight to six"。「Women's Equality Day（男女平等の日）」が8月26日なので、それをチーム名にしました。

毎週打ち合わせをするなかで、もっと広い世界があると知ることも、楽しかったです。環境が違うだけでこんなに考え方が変わるんだな、まだまだたくさん学ばなきゃいけないことがあるなと感じました。ずっと学校の中のコミュニティにいたので、視野が狭かったんだなと。

チームの子とお互いの学校の話をしたり、二人がハマっていることを伝え合ったり、そういう会話をしている時間はやっぱり新鮮で楽しかったです。その子とは連絡先を交換して、今でも連絡し合っています。将来、何か一緒にやりたいなと思っていて、いい友達ができたなと思います。

# Q どんなアプリを作ったの？

　私たちのグループは、夫婦間やパートナー同士で使える家事分担のアプリを作りました。アプリの名前は"2bee Honey"。親しい相手のことをハニーと呼ぶので、それとハチをかけたんです。

　日本では、男性は仕事、女性は家事という固定観念がまだ残っていて、男性の育休取得の割合が他国に比べて低いという現状を知ったのがきっかけです。私たちの学校が女子校なので、ジェンダーギャップへの問題意識は強いほうだったのかもしれません。

　私が通っている女子校には、迷うことなく好きな道を選べて、学びたいことを学べる環境が整っています。でも、やっぱり社会に出てみるとジェンダーギャップが残っている。

　中学生の頃、とある高専のロボット作りのワークショップに参加した時に、女子が私一人だったことがありました。その時に何か壁を感じたわけではなかったんですけど、後から振り返ってみると、こういう分野に興味がある女子は少ないなと。男性が工学系に進むものだという意識があるから女子が少ないのかな、と考えたり。チームの仲間ともそういう話をして、これをテーマにアプリを作ろうということになり、一番身近なところにある「家事分担」を題材にしました。

# Q プログラミングの楽しいところは？

　自分が手を動かすとアプリに反映されて、動いてほしいように動くということにすごく感動しますし、楽しいなと思います。

　でも、私のまわりにはプログラミングに興味がある子がそんなにいませんでした。理系の生徒数は多いけれど、薬学や看護志望の人がほとんど。情報系の学部は物理を使うのですが、物理選択の子は私を含めて10人しかいません。

　そんななか、学校の先生方は私がプログラミングをやっているのを知ってくださっています。ある子が、先生との面談でプログラミングに興味があると話したところ「杉山さんがプログラミングに詳しいから、話を聞いてごらん」と言ってくださったそうなんです。それがきっかけで、今その子も同じ情報系を目指して一緒にがんばっています。私の1つ下の部活の後輩にも、プロ

グラミングをがんばっている子がいて、いつか一緒に大会に出てみたいと言ってもらったり。

校長先生も私の今までの活動を見てくださっているので、学校の掲示板にプログラミング関連のお知らせを載せてくださったり。まわりに良い影響を与えているといいなと思っています。

あと、姉が「Waffle College*」に参加しているのですが、私のほうがプログラミングを始めたのは早かったので、質問をされることもよくありました。

そうやってまわりと一緒に取り組めると、モチベーションも上がりますし、何より楽しいです。

## Q ITを学んでみて、変わったことは?

視野が広がりました。「Technovation Girls」に参加したのが、自分にとっては一番大きかったんですけど、それまで狭いコミュニティで生きていたのが、英語を使ってコミュニケーションしたり、オンラインで遠く離れた子たちと話し合ったりして、そういうところから社会課題を考えることで、世界に目を向けることができるようになったと思います。

IT分野に進めば、将来、自分の作ったものを使ってくれる人がいる。誰かの役に立つようなものやサービスを作ろうと考えると、いろんなことに興味が出てきて、ひとつの物事をいろんな視点から見られるようになりました。

## Q これからの目標は?

将来は、システムエンジニアになりたいなと思っています。いろんなことに興味があって、ひとつに絞れない性格なので、大学に通うなかでやりたいことをたくさん学べたらいいですね。

今考えているのは、心理学と情報工学を融合させること。部活や生徒会活動をしていくなかで、自分自身がいろんな悩みを抱くこともあったし、人から相談を受けることもあったんです。気持ちの面で人に寄り添えるようになりたいと思って、心理学に興味が湧きました。こんなふうに、好奇心が旺盛

*Waffle College:テクノロジー分野でのキャリアを目指す女子大学生・大学院生向けプログラム。
https://www.college.waffle-waffle.org/

なところを活かして、いろんなものを情報と組み合わせて、社会に貢献していきたいなと思います。

　また、視覚や聴覚などに障がいを持つ方々に配慮できるようなものを作っていきたいなと思っています。誰ひとり取り残さないデジタル社会を目指したいです。

## Q 勉強の息抜きにしていることは?

　最近は、野球を見るのにハマっています。甲子園を見ていて、選手たちが自分と同い年か年下なのかと思うと、刺激になります。そこからプロ野球を見始めて。まだ応援したいチームを決めるところからですけど、楽しいです。

　また、私は引退してしまいましたけど、バトン部の後輩の演舞を見るのは励みになっています。後輩たちもみんながんばっているから、その姿を見て私もがんばろうと思えます。

読者のみなさんへメッセージを!
＊　＊　＊

　やってみたいことを、なんでもできるのがプログラミングの魅力だと思いますし、作りたいと思ったものを作れるのは面白いです。もちろん難しいところもありますけど、難しいものを自分で作って、できた時は楽しいし、うれしい。みなさんもやってみたら絶対に楽しいはずです!

　そのためには、まず一歩踏み出すことも大事です。私も「Waffle Camp」や「Technovation Girls」には一人で参加してみましたが、挑戦してよかったです。もしやってみて、また違うものに興味を持てたなら、それもいいと思いますし。

　自分が好きなこと、やりたいことに熱中してほしいなと思います。

# 東京大学理科一類1年生
# 寺門美緒さん
(てらかど　みお)

プログラミングを始めたら、学校の勉強も楽しくなった！
私の知識欲を満たしてくれるITをとことん学んで、人の役に立ちたい。

**PROFILE** 小学生の頃、将来の夢は仮面ライダーだったというくらい生粋のメカ好き。中学生の時にプログラミングの勉強を始め、高1で「Technovation Girls」に参加。現在は、東京大学教養学部前期課程理科一類に通いながら、電気系や情報系の分野に興味を持つ。夏休みは「Google STEP (Student Training in Engineering Program)」に週5日フルタイムで通って、力をつけた。

## Q ITに興味を持ったきっかけは?

　幼い頃からメカっぽいものが好き。仮面ライダーのような変身ものって腕にメカをつけてウィーン、ガシャン! とやるじゃないですか。あれに憧れていました。自由研究も毎年必ず電子工作をやっていた記憶があります。小学生の頃はパソコン部の部長でした。「プログラミング? なにそれかっこいい!」という感じで、やってみたいと思っていました。中学生の時にプログラミング教室があるのを知って、行ってみたのが学び始めたきっかけです。

## Q どのようにして文系／理系を選んだの?

　理系に行くのを迷ったことはないです。でも、志望大学を決める時に、理工系しか学べない学部に進もうとは思いませんでした。経済や哲学の勉強も好きで、**学際的**\*な研究や、文理の間みたいな学問に興味があったからです。最終的には、大学で専門知識をつけるなら、文系より理系に進むのがいいか

なと考えて選びました。

## Q どんな小中学生だった？

　小学生の時はTHE優等生で、中学受験の勉強もがんばっていました。でも、中学に入って数ヶ月経った頃、「本当に私はこれでいいのか?」「なんでこんなことを勉強しているんだろう」と悩んで……。いわゆる中二病ですね。人間関係では一切こじれていないのに、中1の時に不登校になりました。

　その頃に、プログラミングの教室があると知って、行きたくてたまらなかった。でも、通うには自分のPCが必要で。欲しかったけれど、親には「高すぎてだめ!」と言われました。でも、私があまりに学校に行かないから、「中2の4月に、1回も遅刻せずに毎日学校に行ったら買ってあげるよ」と。それで学校に行くようになって、PCを手に入れ、プログラミング教室に行けることになりました。

　プログラミングを勉強していると、出てくる言語はだいたい英語だし、英語でなら自分が知りたい情報にすぐにアクセスできることがたくさんありました。それから、ゲームを作っていると三角関数を使うなど、数学的な考え方が必要な場面があって、「こういうところで使うのか!」「これをわかるようになりたい」という気持ちが湧いてきて。それがきっかけで数学や英語を勉強してみたら「勉強、意外と楽しくない?」と思い始め、中2以降は学校が楽しくなりました。すると、成績がぐーんと上がりました。今となってはみんなに「中1の時ヤバかったよな、ハハハ」と言われますけど、その時がなかったら今の自分はない。あれだけ落ちぶれてなければ、こんなに勉強を楽しめなかったと思います。

## Q 「TECHNOVATION GIRLS」に参加した理由は？

　自分でゲームを作っていた時に、ある程度コツがつかめてくると、作りたいゲームがないことに気づいて、アイディエーション*に興味を持ったんです。そこで出会ったのが「Technovation Girls」(P8)。高1の時でした。

- - - - - - - - - - - - - - - - - - - - - - - - - - - - - -

*学際的：研究などが複数の異なる学問分野にまたがっていること。

*アイディエーション：アイデアを生み出し、開発し、伝達するプロセスのこと。

「Technovation Girls」ではアプリ作るのと同時にアイディアを出して伝えることも必要。私はその前にビジコン*に出ていた経験もあったので、プログラミングとアイディエーションができて、「私がやってきたことがいろいろ融合されている！おーっ！」と盛り上がって、参加を決めました。

## Q どんなアプリを作ったの？

家事の分担を見える化するアプリを作りました。いわゆる**名もなき家事***もすべて見える化して、家族の中で誰がどんな家事をどれくらいやっているかを見えるようにして、偏りを解消することにつなげられたらなと考えました。フェミニズムやジェンダーギャップの問題が世間で盛り上がっていたこともあり、私にとって関心が強く、身近な話題でもありました。

## Q プログラミングの面白いところは？

プログラミングをして自分が思った通りに動かせた時と、身近なものと結びついた時が面白いです。私はゲームを作るところからスタートしたんですけど、今までプレイしてきたゲームの仕組みがわかった時は感動しました。

例えば、マリオのゲームなら、上ボタンを押すとマリオが上に飛ぶ、というのもコードに書かれています。「あっ、これって全部書いてあるんだ！」と。今書いているコードをさらに複雑にしていけばいろんなことができるんだ、がんばれば自分でも作れるんだ、と興奮しました。

## Q インターンではどんなことをしているの？

この夏は、「Google STEP*」に参加しました。Googleがテクノロジー業界の多様性を高める目的で、女性をはじめとする情報科学の領域のマイノリティの大学生を対象に提供している教育コースです。最初の2ヶ月間は、毎週金曜の午後5時から8時まで、Googleのエンジニアの方が授業をしてくださる。

*ビジネスコンテスト：個人やチームの参加者が提案する新たなビジネスプランを審査・評価するコンペティション。

*名もなき家事：料理や洗濯、掃除のように具体的な名前はついていないものの、生活をする上で必要な細々とした作業。

その後の面接に通ると正式にSTEPインターンとして雇われ、給料ももらえるように。Googleのオフィスに行って、配属されたチームで仕事をしています。一流のエンジニアの方がついてくれるので、質問をすればいくらでも教えてくれます。授業で教わるプログラミングと、実践におけるプログラミングはやはり違うので、毎日学ぶことばかりです。

## Q インターンに通ってみてよかったと感じることは?

Google STEPには、女性がたくさんいるし、STEP出身の先輩の方にもたくさん出会えて、いろいろお話できるのもうれしいです。そして、私がGoogle STEPの方針にすごく共感しているのは、ソフトウェアエンジニアや正社員になるためのハードルの高さはみな同じであって、そこにたどり着く女性を増やすためのプログラムなので、女性を優遇しているわけではないということ。

運営側がその理念をしっかり伝えているから、STEPを経て正社員になったとしても、自分もまわりも「STEPだから優遇されたんだ」と思わなくていい。それが理にかなっていて、いいところだと感じます。

## Q ジェンダーギャップを感じたことはある?

大学に入ると、男性の割合が異常に高くて、実際に目の前にしてみると「うわお…」と驚きました。教養学部のクラスで女子の友達はできたのですが、情報系に進む人は本当にいないんです。プログラミングの授業に出たら、女子がいなくて「あれ?ひとりしかいなくない?」と。高校は女子校に通っていたので、のびのびとやっていたし、同級生とは深いところまで話せる環境でした。勉強面でも、人と競う風潮はほぼなかった。そことの違いも大きかったです。

## Q 今、一番楽しいことは?

■ ■ ■ ■ ■ ■ ■ ■ ■ ■ ■ ■ ■ ■ ■ ■ ■ ■ ■ ■ ■ ■ ■ ■

**\*Google STEP** (Student Training in Engineering Program):Googleおよびテクノロジー業界の多様性を高めることを目的とした学生向け教育プログラム。
https://buildyourfuture.withgoogle.com/programs/step

**\*OS**:Operating System(オペレーティングシステム)の略。コンピュータを動かすための基本的なソフトウェアのこと。

とあるエンジニアさんに影響されてOS*作りの本を買ってきて、「あー、ゼロからOSが作れる！ヒヒヒ……！」となっていた時がありました。

新しいことに出会うのが、とにかく好き。自分が知らないことをもっと知りたい。仕組みを知りたい。私は、理解をしたいという欲のかたまりみたいなところがあって、ちゃんと理解できるまで許せないタイプ。例えば、ゲームがあったら全部クリアしたいし、問題集で一部だけわからない問題があるのも好きじゃない。自分が納得いくまでやらないと飲食もままならないんです……。その延長線上で、人の役に立てたらうれしいですね。趣味は、ゲーム実況のYouTubeを見ることです。

## Q これからの目標は？

中高生の時から、努力してやってきたことはたくさんあるんですけど、環境に恵まれているし、まわりの人からたくさんチャンスを与えてもらったと思っているんです。だから、自分が人に与えてもらってきた分を返すことができるようになりたい。着地点はまだ見えないんですけど。

将来は、好きなことをやり続けて、結果としてまわりに良い影響を及ぼせたらいいなって思います。自分が出会う世界が広がるにつれて、やりたいことは増えていくと思うので。今の社会と30年後の社会は絶対に違うし。だけど、どんな困難にぶち当たっても、確かな知識と技術力を持って、堂々と渡り歩いていきたいです。

## Q ITに興味がある中高生にまずやってほしいことは？

まず、自分が興味があることについて知識を持っている人をまわりに見つけること。わかっている人に訊けば一瞬で済むものが、本を読んでいるだけでは一生わからない……みたいなこともあるので。例えば、「どの言語を勉強したらいいか？」という質問をよくもらうんですけど、自分の知り合いが使っている言語がいいと思います。調べることにもスキルがいるし、最初はコツが必要なのですが、詳しい人に訊けば一発で解決することも多いので。

## Q 勇気を出す秘訣は？

勇気は出そうと思って出るものじゃないと思うんです。私は、とにかく好

きなものじゃないとやり続けられない。嫌いなことのために勇気は出せない
し、努力もできないと思う。私は以前、ゲームを作っていた時に3Dモデルに
興味が湧いて、モデリングをやってたことがあって。その時は「毎日少なくと
も1回はやる」という目標があったんですけど、結局、自分はコードをパタパ
タ書くのが楽しいんだとわかって、違ったなと思ってやめたりしました。

　でも、やる前にどれが好きかなんてわからないはず。だからとりあえずい
ろいろやってみるといいんじゃないかなと思います。中高生はいろんなもの
に出会う機会があると思うんですよ。学校の科目もいろいろあるし、気軽に
参加できるイベントやワークショップもきっとあるはずです。

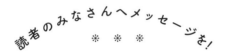

読者のみなさんへメッセージを！

\* \* \*

　中高生の間に、自分の学校の外の人と話してみることをおすすめしま
す。大人に出会う機会ってなかなかないと思うんですけど、自分が目指し
ている分野にいる大人としゃべることもすごく大事。そういう経験があるだ
けで、視野が広がるし、将来に対するモチベーションが変わるんじゃない
かなと思います。

　そして、応援してくれる大人が絶対どこかにいます。もし、自己肯定感
が低いと感じるなら、それは自分のまわりの小さなコミュニティの中だけ
で比べているからかもしれない。例えば、不遇だと思っていることがあっ
ても、それを経験していること自体が個性で、価値になることもあると思
います。同質性のかたまりから外へ出ていくことが大事なんじゃないかな
と。自分が知っている範囲なんて狭いし、今の私だってもちろんそうだと
思うんですけど。とにかく外の世界に出よう！

近畿大学工学部1年生

# 祢屋 希さん
(ねや のぞみ)

「これが好き！」という
気持ちを一番に。
新たな世界で強いのは、
やりたいことに向かって、
信念を持って
行動する人。

**PROFILE** 岡山県出身。10歳の頃から毎年、ロボカップジュニアに出場。プログラミングで動くサッカー対戦ロボットを作り、全国大会に出場したことも。中高生の頃は、ピアノやダンスと並行して、ロボット作りに励む日々。高3の時に「Waffle Camp」と「Technovation Girls」に参加。工学分野に憧れを抱き続け、現在は、近畿大学工学部ロボティクス学科に通う1年生。

## Q ITやロボットに興味を持ったきっかけは？

　知り合いのお兄さんがレゴブロックを使ったプログラミング教室に通っていると聞き、面白そう！と思って、私も4歳から通い始めたんです。そこには「ロボカップジュニア*」に出場するカリキュラムがあったので、10歳の頃から本格的にロボットを作り始めました。受験生だった高3の年以外は毎年参加して、今年で9回目。19歳まで出られるのですが、残念ながら敗退してしまったので、もう終わりなんです。次に出るなら「マイクロマウス*」。

*ロボカップジュニア：3種類の競技テーマ(サッカーリーグ、レスキューリーグ、 OnStageリーグ)があり、ロボット設計製作を通じて、次世代のリーダーを育成する大会。ワールドリーグは19歳まで参加が可能。

*全日本マイクロマウス大会：コンピュータ(たいていはマイクロコントローラ)を搭載し、自律制御で未知の迷路を走破してゴールへ到達するまでの時間を競うロボット競技大会。

## Q 毎年大会に出場し続けるモチベーションの源は?

　最初はなんとなく続けていたのですが、高校生になってから全国大会に出るようになると、ライバルのチームの人たちと交流するのが楽しくなってきたんです。勉強することで格上の人たちの会話に入っていけるのが面白いな、と。あとは、やはり勝てるようになったから。出場経験を重ねると、どういうロボットが強いのかがわかってきて、毎年工夫をしながら楽しみました。

## Q どんなロボットを作ったの?

　私が参加していたのは、ロボットに2対2でサッカーをさせるサッカーリーグ。赤外線の出るボールを追いかけるロボットを作って戦わせていました。自律移動型の、プログラミングで動くサッカーロボットです。

## Q どういうところに作り甲斐や楽しさがある?

　基本的には、ロボット1台につき、コンピュータを1個積むのですが、選択肢は無限。何にするかを選ぶところからすべて自分で考えて作れるのが、面白いところだなと思います。センサーを使ってボールを検出させるとか、白線から出るとペナルティを課されるので出ないように工夫するとか。ロボットが状況を判断するためのセンサーも自分で作りました。いろいろなことを考えながら、手を動かすのが楽しいです。

## Q 学校の勉強では、どの科目が好きだった?

　もともと勉強はあんまり好きじゃなくて。成績が悪かったわけではないけれど、得意な科目があるかと訊かれたら困っちゃいますね。でも、中高一貫校に入って、いい先生に出会ってからは、勉強も面白いかもと気づきました。好きになったのは、物理と数学と地理と漢文。先生との相性も良く、先生が楽しそうに教えてくださるのもすごく好きで、授業が面白かったんです。

## Q どのようにして文系／理系を選んだの?

　高校では数学も物理も好きだったんですが、試験で良い点数は取れなかったんです。でも私は、理系一択でした。理数系の成績は振るわないけど、もの

を生み出す仕事をしたいと思っていたので、先生にも「とにかく工学部に進みたい」とずっと言っていました。ロボットが好きなことや、大会でいいところまで行ったことをアピールしながら。中学生の頃から工学部を目指していたので、理系しか選ばなかったし、文系には目移りしてこなかったですね。

## Q 進路選択の時に、まわりから言われたことは?

大学の学部を選ぶ時、父に「ロボティクス学科は、いろいろな学問に手を出さなきゃいけないから、広く浅く学ぶことになる。それよりも情報や機械のように、がっつり一個の分野に絞った学部のほうが将来的にいいんじゃないか」と言われたのを覚えています。でも、私がやりたいのはロボットだったので、ロボットを作るためにひと通り幅広く勉強した上で、自分の武器になるものを探そうと思って、自分の意思でロボティクス学科を選びました。

## Q ジェンダーギャップを感じたことはある?

私の母が理系なんです。幼い頃からずっと、母のようにバリバリ仕事をする人になりたいと思っていたので、女性が理系に行くのは壁があることすら知らなかったんです。幸いにもフラットな環境で進路を選び、障壁がほぼなくここまで来られたと思っています。

とはいえ、ロボカップの参加者は98%くらい男子でした。なので、高校生の時に参加した「Waffle Camp」や「Technovation Girls」(P8)で、女性ばかりの環境というのが新鮮で「こんなに楽しいところがあるんだ!」と(笑)。

振り返ってみると、ロボカップでは、チームメイトとはもちろんすぐに打ち解けるんですけど、チーム外の人たちの交流を見ていると、男子同士のほうが早く仲良くなっているな、うらやましいなと思うこともあったので、女子だけのコミュニティって楽しくて、幸せでしたね。

## Q 「TECHNOVATION GIRLS」では、
## どんなアプリを作ったの?

自分が「何かしたい」と思っていることを、思っているだけではなく行動に移せるように背中を押すアプリを作りたいと思い、「Bridgeship」というアプリを作ることにしました。これは、若者と活動家を双方向的につなぐプラッ

トホームアプリ。自分の違和感を投稿すると、同じ思いを抱く同世代や活動家とつながり、交流できます。また、交流を通して生まれた発想を仲間とともに行動につなげるためのチームアップ機能も考えました。

　私たちのチームは教育分野に関心がある人が5人集まって組んだのですが、解決すべき社会課題がたくさんある中で「若者が思いを行動へつなげられたら、何かが変わるのではないか?」と話し合い、構想をふくらませました。

## Q 「TECHNOVATION GIRLS」に参加して、どうだった?

　当時、私は岡山に住んでいたのですが、海外に住んでいたり、東京に住んでいたりと、バックグラウンドが異なる人たちが集まって、チームでひとつのものを作ったんです。私の感覚と他の子たちの感覚は結構違うんだと気づいたのは、新しい発見でした。また、英語が堪能な子もいたので、刺激を受けました。私はもともと、人前で話すことはあまり得意ではないし、できればやりたくないと思っていたのですが、提出物を作ったり、ブートキャンプに参加したりしていくうちに、準備をちゃんとすればできるんだとわかりました。苦手だと思っていたものは、意外と克服できるんだなと。それが一番の収穫で、成長したなと思う部分でもあります。

　あと、アプリを作る最中、いろいろな人にインタビューをした時に、無条件で応援してくれる大人がたくさんいたんです。どうせ中高生のやっていることだしと思わずに、本気で意見をぶつけてくれる方や応援してくれる方に出会えたのは衝撃的で、背中を押してもらえた出来事のひとつでした。

## Q 今、関心を持っているテーマは?

　ロボット工学の領域で言うと、ソフトロボティクス*や「弱いロボット」が、最近キーワードとして面白いなと思っています。「弱いロボット」というのは、人が助けてあげたくなるようなロボット。ロボットを弱くしておくことによって、人間に大きい影響を与えられるという考え方で研究が進められてい

■ ■ ■ ■ ■ ■ ■ ■ ■ ■ ■ ■ ■ ■ ■ ■ ■ ■ ■ ■ ■ ■ ■ ■ ■ ■ ■ ■ ■ ■ ■ ■ ■ ■ ■ ■ ■

*ソフトロボティクス:やわらかい素材で作られたロボットを扱うロボット工学の研究分野。

ます。それまで私の中では、ヒーローのように人を助けるイメージが強かったので、弱さをさらけ出すことで人間の優しさを引き出したり、行動を促したりして人の役に立つロボットの可能性もあるなと。

「弱いロボット」については、**豊橋技術科学大学の研究室\*** が取り上げられている動画を、YouTubeで見て知ったんですよ。面白ーい! と思って。こんなものが作れたら絶対楽しいだろうなと思って興味を持ちました。

## Q IT分野はどんなところが楽しい?

もちろん作っている時はとても楽しいし、課題を乗り越えることも楽しいことのひとつ。ウェブサイトも、アプリも、ロボットもそうですけど、作ったものを使ってもらえた時に、人を笑顔にできるし、影響を与えられるところですね。

## Q ロールモデルや憧れの存在はいる?

Waffleのみなさん。かっこよくて輝いていて、私たちをエンパワーしてくれます。「Waffle Camp」や「Technovation Girls」では、細かいところまで面倒を見てくださってアドバイスもくれるし、どんどんやってみようと背中を押してくれたので、最強じゃん! と。私も人を巻き込める大人になりたいです。

そして、母。幼い頃からずっと背中を見てきて、たくさん影響を受けています。

## Q 将来の夢は?

名前がついた職業の中ではエンジニアを目指しています。設計になるのかな。具体的なイメージが全然できていなくて困っているんですが、やはりロボットや機械など、ハード系のエンジニアになりたいです。

\***豊橋技術科学大学 インタラクションデザイン研究室**：YouTubeチャンネルはこちら。
https://www.youtube.com/@icd-lab/featured

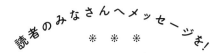

読者のみなさんへメッセージを!
＊ ＊ ＊

　私が一番伝えたいのは、自分が「やりたい」「楽しい」と思っていること
を第一に考えて、進路を選択してほしいということ。楽しんで勉強したほ
うがきっと身につくし、いろんな経験もしやすくなると思います。「どんな
ことが好き?」と訊かれたら、何かひとつは答えられると思うんです。人の
目を気にしたり、何かの影響で「これは選ばないほうがいい」と気持ちを
抑えてしまったりして、自分の気持ちが押しつぶされることがないように、
と願います。

　進路選択で障壁がなかった私が言うのも贅沢なことだと思いますけど、
やりたい気持ちを抑えるのはもったいない。インターネットで全世界の人と
簡単につながれるようになった今だからこそ、どんな学びの場があるか調
べることができるし、出会うことだってできるから。やりたいことは、とり
あえずやってみよう! 私も、それを常に心においておくようにしています。

　また、わからないことは恥ずかしいことではないです。誰かに尋ねれば
いいんです。そうすることで自分のわかっていないことを整理することもで
きる。相手にわかりやすく質問するように心がけることで、コミュニケー
ション力も磨かれます。

　これからの社会には、今はない仕事もたくさん生まれます。そんな新し
くなっていく世界で強いのは、好きなことややりたいことを持っている人だ
と思うんです。そして信念を持って行動する人。私もそれを目指して、み
なさんとともにがんばりたいです!

ソフトウェアエンジニア

## 仁ノ平和奏さん
（にのひらわかな）

ＩＴのスペシャリストになれば、どの分野に興味を持っても強いはず。

信頼できる先生方の後押しで理系に進み、海外の大学にもチャレンジ！

**PROFILE** 中高一貫の進学校に通い、高2の時にアメリカに短期留学したことがきっかけで、一気に新しい世界が開けた。大学はアメリカのセブンシスターズと呼ばれる女子大のひとつ、スミス大学でコンピューターサイエンスを専攻。卒業後は、インターンや研究期間を経て、全米日系人博物館でソフトウェアエンジニアとして働いている。シアトル在住。

## Q 子どもの頃、好きだったことは?

　子どもの頃から、新しく何かを学ぶことと、手を動かしてものを作ることが好きでした。幼稚園児の頃は折り紙にハマっていて、祖母とカエルの折り紙を1週間もかけて悩みながら作ったり、それを友達にも教えたり。小学生の頃の楽しみは、家族旅行でステンドグラスやキャンドル作り、陶芸体験に参加することでした。小学生の頃は算数の図形が得意でしたが、中学に入ってからは難しくなった数学に苦手意識を持つようになりました。

## Q どんな中高時代を過ごしたの?

　中高一貫の進学校で、部活、授業、友達と遊ぶ、部活のくり返し。高校に上がる頃には、そのサイクルを続ける毎日に飽きていました。いつもと違うことがやりたいなと考えていた時に、学内に貼られた海外研修のポスターを発見。「めっちゃ行きたい!」と思ったのですが、家族には経済的に厳しいと言わ

れてしまって……。悶々とした気持ちを担任の先生に伝えたところ、無料で3週間、アメリカ留学できるプログラムを見つけてくれたんです。審査に受かって、高2の時に念願のアメリカへ行きました。

すると、つまらない日々が一変! 現地の高校生や、日本各地から来ていた高校生との交流で「外の世界にはこんなに面白いことがあるんだ!」と気づき、アメリカの大学に行くという進路があることも知りました。帰国後は、ボランティアなどの課外活動や生徒会など、今までやったことがないことに積極的に参加するようになりました。

## Q どのようにして文系／理系を選んだの?

私は赤点を取るほど数学が苦手だったので、文理選択を書く紙には迷いなく「文系」と書いて出したんです。そうしたら担任の先生に「理系の進路は考えたことあるの?」と訊かれて、「ないです、数学苦手なんで」と答えたら、「考えたことないなら受け取らないから」と言われてしまったんです……。放課後、職員室で理系の先生方をつかまえて、「すみませんが、ちょっと今時間ありますか? 進路選択の話なんですけどー」って。先生方は「文系にしようと思ってたの? なんで!?」「考え方が理系寄りじゃない?」と言ってくださった。

ラッキーだったのは、私が数学の先生のところには行かなかったことかもしれないです(笑)。数学、本当に苦手だったので。

その頃、コンピュータサイエンスやテクノロジーを学んだら、どんな分野にも行けるかもしれないと考え始めていたので、「先生たちが理系も行けると言ってくださるのなら、それも良いかも」と思って、結局は理系を選びました。後押しをしてくださった先生方には、感謝しかないです。

## Q アメリカのスミス大学*に決めた理由は?

日本の大学のほとんどは、学部を決めてから受験しますよね。私はいろいろな分野に興味があったので、学部を決められずに困っていたら、アメリカの大学では2年生くらいまで自由にいろいろな授業を選んで教養をつけた後、

*スミス大学:マサチューセッツ州ノーサンプトンに本部を置く私立女子大学。
全米屈指の最難関名門私立リベラル・アーツ・カレッジ。

自分の関心がわかった上で専攻を選べると知ったんです。海外の大学を受験するためのアドバイザーの先生が「あなたに合っているんじゃない?」と背中を押してくださり、アメリカの大学を受験することにしました。

　海外の生徒に対するファイナンシャルエイド*の中で、給付型(返還不要)の奨学金を出している大学を探した結果、スミス大学にたどり着きました。アメリカでは女子大は珍しいのですが、卒業生の話を聞いてみると、「女性をエンパワーするためにここで教育をやっているよ」というエネルギーが充満している感じがして、自分に合っているかもしれないと思い、最終的に決めました。

## Q コンピュータサイエンスに興味を持ったきっかけは?

　そもそも中3くらいから国際協力に興味があったのですが、担任の先生に「その分野で活躍する人は、国際協力を学んだ人だけではなく、専門分野のスペシャリストも多いんだよ」と言われて。なるほど、とめちゃくちゃ視野が広がったんです。私は何のスペシャリストになるのがいいんだろうと考えた時に、ITがいいな、と。もし将来の私が、気が変わって別のことに興味が向いても、ITに強ければ選択肢が多いんじゃないかなと思いました。

## Q スミス大学での生活はどうだった?

　寮を「ハウス」と呼んで、まるでハリーポッター*の寮みたいに分かれているんですけど、みんな自分たちのハウスに誇りを持っているんです。始業式では、校長が話しているのに「私のハウスが最高だー!」と叫び合ったり(笑)。応援団の赤組と白組が「ヤー!ヤー!」と叫び合っているような感じ。しかも、なぜかみんなが下着みたいな格好で……。そういう変わった風習もあるのも面白い学校です。

　勉強の面では、教授たちは、助けを求めたら、めちゃくちゃ助けてくれるんです。例えば、「今、他の課題も一気に押し寄せちゃって困っているので、1週間待ってもらえませんか?」と、期日前に相談すれば、課題の締め切りを延

*ファイナンシャルエイド：学費の負担を軽減するための金銭的支援プログラム。

*ハリーポッター：英国の作家J・K・ローリングによる、魔法学校を舞台としたファンタジー小説。

ばしてくれる。教授と1対1で話せるオフィスアワーが、週に2回のペースで2時間くらい開かれるので、教授との距離も近かったです。

## Q 大学のITの授業はどんな感じ?

コンピュータサイエンスの一番初めの授業は、思いの外、プログラミング初心者に優しかったです。「中学生の頃からずっとパソコン触ってて、プログラミングもやってます!」みたいな人ばかりのクラスを想像して、ドキドキしながら授業に行ったら、全然そんなことはなくて、先生も優しいし、勉強しやすい環境でびっくりしました。

プログラミングの授業では、課題に取り組んだり、新しい機能を追加したり。時々どうしてもやり方がわからない、という壁にぶち当たるんですけど、そういう時は「今までやったことないから、新しく学べる!」と前向きに考えていました。私自身、飽きやすい性格というのもあって、新しいことに取り組むのが楽しくて仕方ないんです。

## Q ジェンダーギャップを感じたことはある?

スミス大学は女子大なので、「みんなで一緒にがんばろう!」という校風は、居心地がよかったです。ただ、他の大学の授業を取ることもできたので、一度受けてみたら、30人中女子が3人しかいなくて、びっくりしました。先生はみんなが居心地がいいように気を遣ってくださったんですけど、「やっぱり共学に行くと工学系の男女比は9対1なんだ……」と衝撃を受けました。

1年生の教養科目に、日米両方の文学作品を比較しながら、日本の女性像の変遷を見て、ディスカッションをする授業がありました。アメリカのほうがフェミニズム*が進んでいるので、私が気づいていないことを「これは問題だよね」と指摘する子がいて、なるほどと思うことも多かったです。学生もLGBTQの割合が高かったり、まわりにジェンダーのトピックや問題に興味を持ってる人が多かったので、そういう人たちと一緒に過ごすなかでも学びがたくさんありました。

*フェミニズム:政治、制度、文化、習慣や社会的動向などにおいて、性差に影響されることなく、すべての人が平等な権利を行使するための主張や運動のこと。女性解放思想ともいう。

## Q 大学を卒業した後の進路は?

大学を卒業し、夏は大学4年生の時から授業を取っている先生の研究室で研究をしていました。その先生は、オンラインゲームのコミュニティの中で、どうすれば**インクルーシビティ\***や**ダイバーシティ**を実現できるか? というのをテーマに研究しています。

例えば「**Twitch\***」というアメリカのストリーミングのサイトでは、いろんな人が実況や生放送をやっているんです。先生はそこで、利用者が「私はインクルーシビティを大切にしています」と証明するために、誓約にサインアップできるシステムを作っています。サインアップすると自分の名前の横にバッチがつくので、生放送中に視聴者としてコメントする時にもまわりに知らせることができるシステム。ITが社会をよりよいものに変える具体例を見ることができたし、自分が努力して研究の一部を担えたのもうれしかったです。

今は、全米日系人博物館で働いています。日系人の歴史や文化を記録したり、コミュニティをつなげるためのウェブサイトを開発するチームでソフトウェアエンジニアをしています。

## Q 今後のビジョンは?

私はある時、社会を変えるのって大変なことだと気づいたんです。でも例えば、IT業界に女性が少ないという不便な状況を変える力はないとしても、自分がエンジニアとして存在しているだけで、女性エンジニアの数を1でも増やせるのなら、ギャップを埋めるのに役立つのかもしれない。今は、そんなふうに考えています。

私は昔から飽き性なので、ひとつの場所にずっと住んでいるのは飽きちゃって、幸せにつながらないなと感じます。なので、当面の目標は、自分が行きたいところに行って、そこで食べていけるだけの職を確保できるように

---

\*インクルーシビティ:多様な人々がお互いに個性や価値観、考え方を認め合うこと。

\*Twitch:ゲーム実況のライブ配信に特化した動画配信サービス。 https://www.twitch.tv

なること。例えば、いつか急に「ヨーロッパに行きたい!」と思った時にも職を見つけられるように、今はアメリカでしっかりと経験を積みたいです。

読者のみなさんへメッセージを!
＊　＊　＊

　もし、今の生活がつまらないなと思ったら、自分のコミュニティの外へ出てみることが大事です。中高生向けのイベントやボランティアに行って、他校の生徒と会話するだけでも、世界がすごく広がりますよ。私はそうやって外に出たことで、鬱屈とした気持ちを解消できましたし、そのなかで、「自分は何に興味があるのかな?」「どういう人なのかな?」というのを知ることができたような気がします。

　また、後押ししてくれそうな大人を見つけて話す、というのもいいと思います。私は文理選択で悩んだ時に、背中を押してくれそうな先生に会いに行ったのがよかったなと。数学の先生にはやめろと言われる気がしたから会いに行かなかった。傷つくのは無意味なので。

　もし、気になっているものがあるけど自信がない時には、誰かの後押しが必要なだけだと思います。応援しています!

# iOSエンジニア
## 羽柴彩月さん
（は しば さ つき）

ITはかけ合わせれば、たくさんの人を幸せにできる素敵な技術！「こうすればこの機能が作れる」というロジックを形にするのが楽しい。

**PROFILE** 愛知県出身。中学では剣道部、高校では放送部に所属し、文化祭実行委員や生徒会でも活動するアクティブな学校生活を送る。高1の時にスマホアプリ「STUGUIN」を開発・リリースし、15万ダウンロードを記録。慶應義塾大学湘南藤沢キャンパス（SFC）・大学院を経て、2022年に新卒でLINE株式会社に入社。iPhoneのiOS*で新しく出た機能を実装して、LINEのユーザー体験を向上させるチームで働いている。

## Q ITに興味を持ったきっかけは？

　最初は、保育園か小学校に入るくらい。祖父がPCの使い方を教えてくれて、二階にいる祖父と一階の私とでメールをやりとりしたのが初めてだったと思います。その頃からFlashゲーム*で遊んだり、動画を見たり、インターネットを使うようになりました。

## Q プログラミングを始めたのはいつ？

　中学2〜3年生の頃、学校でホームページを作るのが流行って。みんなはテンプレートを使っていたんですけど、私は文字の色を変えたり、文字を動かしたり、ひとつひとつ試しながら自力でやっていました。ちゃんと表示が変わった時に、理解できてる感じがしてすごくうれしかったですね。思い返せば、それがウェブデザインとプログラミングの入口だったなと思います。

# Q どんな中高時代を過ごしたの?

　中学生の時、PCは好きだったけど、「デザイナーが気になるな」「イラストレーターって面白そうだな」といったふわふわした夢しか持っていなくて。高校に上がった時にスマホを持つようになり、東京の大学で開催されたプログラミングキャンプのiPhoneアプリの作り方が学べるコースに行ったんです。それがすごく楽しくて。高1の夏に初めて自分のアプリを作りました。その時から「エンジニアになろう!」と思うようになって、視野が広がりました。

　PCは、親にお願いして買ってもらいました。それまでインターネットのしすぎで「勉強しなさい」と怒られることもあったから、自分のPCなんて買ってもらえないと思っていたんですけど、「プログラミングが面白くて、これをやりたいんだ」と話したらすぐに「いいよ」と言ってもらって。

　部活が終わって、家に帰って宿題をやったら、アプリを作るという日々でした。

# Q どんなアプリを作ったの?

　プログラミングキャンプに参加して、自分でも作れるんだ! とわかった時に、当時スマホが気になって勉強に集中できないという悩みがあったので、「これってアプリで解決できるかも?」とひらめきました。

　作ったのは、勉強をサポートするアプリ「STUGUIN*」。勉強する教科と内容を選んで「スタート」をタップすると、タイマーが動き出します。もし途中でメールやSNSなど、別のアプリを起動すると、タイマーが止まります。勉強時間が計測できて、科目ごとの集計も表示されます。友達に「STUDY?」という通知を送ったり、友達が勉強を始めた時に通知を受け取ることもできるので、モチベーションも上がります。

---

\*iOS：AppleのiPhone製品に用いられているオペレーティングシステム (OS)。
\*Flashゲーム：Adobe Flashをプラットフォームとして作られたゲームの総称。 2020年にサポートが終了。

\*STUGUIN (スタグイン)：羽柴さんが高2の時に開発した、勉強に集中したい人のための勉強サポートアプリ。 https://apps.apple.com/jp/app/stuguin/id955713507

## Q アプリを作ってみて、どうだった?

リリースしたら、いきなり15万ダウンロードを記録したんです。当時、Twitterで「リリースしました!」と告知したのですが、高校の友達とフォローし合うだけのアカウントだったので、友達にダウンロードしてもらえるといいな、くらいの気持ちだったんです。それが「このアプリ、隣の高校の人が作ったらしい!」というふうに地元でちょっと話題になり、徐々にダウンロードされ始めました。ある時、急にApp Storeで私のアプリがおすすめに選ばれて、トップページに載ると、一気にダウンロード数が増えたので、驚きました。

## Q どのようにして文系／理系を選んだの?

最初から自分は理系だと思っていました。物心ついた時から、なんとなく理系の気持ちだったというか。家族も理系だったので、自然と文系ではないなと思ってたんです。そんな時、両親が心配して「理系じゃなくてもいいんだよ。文系でもいいんだよ」「自分の興味があるほうを選びなさい」と言ってくれたのを覚えています。

## Q 進路はどうやって決めたの?

ひとり暮らしをしてみたかったし、東京に行きたいなと思って、東京の大学のオープンキャンパスにいくつか行きました。その中で慶応大学のSFCの雰囲気がすごく好きだったんです。学園ドラマに出てくるような開放的なキャンパスで。どんなことが学べるか調べてみると、SFCは文理融合で、先端的で、プログラミング教育にも力を入れている知り、自分と一番近そうだなと思い、そこに決めました。

## Q どんな学生生活だった?

自由度が高くて、文理融合なのでいろんな授業を履修できました。まわりには個性的な人が多かったです。自分でサービス作ってますとか、洋服をデザインして作ってますとか、音楽作ってますとか。そういうクリエイティブな人ばかりで、想像していたよりもずっと幅広くいろんな人と出会えたので、刺激を受けました。大学と大学院では、アプリの研究をしながら、いろんな会社でインターンをして、技術力を積むこともしていました。

## Q インターンではどんなことをしたの？

どの会社でもiOS、iPhoneアプリ開発のエンジニアとして働きました。メンターの方にサポートしてもらいながら、社員さんと同じようにバグを修正したり、新しい機能を作ったり実装したりして、勉強しました。

あるIT企業では、1個のプロジェクトを任されて、2ヶ月くらいの単位でやり遂げなくてはならなくて。それが結構大変で、実装ができない、うまく直らない、間に合わない……。プレッシャーが強くて、しんどい時期もありました。でも、がんばって続けていると、どんどん自分の技術が高まり、知識も深まって、IT分野でやっていけそうだなという自信も生まれました。

## Q 今の仕事を選んだのはなぜ？

私は絵も音楽も、表現することが好きなので、プログラミングだけではなく、見た目や音や使い心地を考えるのも仕事の範囲に入るアプリ開発は楽しそうだと思ったんです。それから、インターンでいろんな企業で働くうちに、どの企業がどういう雰囲気かというのがわかってきました。LINEは技術力の高い人が多いと感じたので憧れましたし、たくさんの人に使われてるサービスにエンジニアとして携わることに魅力を感じ、ワクワクしたので、新卒で選考を受けてLINEに入社しました。

## Q ロールモデルや憧れの存在はいる？

「try! Swift Tokyo*」というSwift開発者が集まって交流する世界規模の大きいイベントがあって、学生時代に参加した時、スピーカーにMayuko Inoue*さんという方がいたんです。iOSエンジニアの女性の方で、シリコンバレーで働かれていて。その方の話しぶりがかっこいいなと思って憧れたのを覚えています。iOSアプリ開発の分野で、国際的に活躍している女性がいるんだなと印象に残りました。

*try! Swift Tokyo：世界中からSwift開発者が集まるコミュニティ。 Swift言語やiOS、 macOSを始めとしたAppleプラットフォームなどの情報交換や開発者同士の交流をテーマに毎年東京でカンファレンスを開催。

*Mayuko Inoue：サンディエゴを拠点に活動するコンテンツクリエイター/iOSエンジニア。YoutubeではIT企業のキャリアやアメリカ生活の様子を配信している。

# Q ITエンジニアとして働くメリットは?

スキルがあれば、性別差も年齢差もないので、長く働けると思います。今、必要とされている分野なので、求人も多いし、待遇も良くて、給与も結構良い。新しい業界なので、昔ながらの会社に抱くような堅いイメージとは異なり、風通しがよく、柔軟な会社が多いです。

# Q 1日の平均的なスケジュールは?

10時から18時半まで働いて、お昼休憩は1時間。今は、毎日12時からチームのミーティングが30分くらいあります。他にも曜日によって、プロジェクトのミーティングがあったり、もうちょっと大きい単位でのウィークリーミーティングや、振り返りのミーティングがあったり。それ以外の時間は、プログラムを書いたり、他の人のプログラムを読んで指摘したりします。

# Q 仕事の楽しいところ・やりがいは?

プログラミングをしていると、頭を使う楽しさがあります。そう聞くと、頭のいい人がやることなのか、と想像されるかもしれませんが、そうではないんです。例えば、パズルやクイズや謎解きのように頭を使う趣味ってありますよね。それと似た、自分で考えて解決することの楽しさ。具体的に言うと、自分の頭の中にある「こういうふうに作ればこの機能が作れる」というロジックを形にするためにコードを書く時間とか。なかなか直らないバグを考えて、調べて、見つけて、直った瞬間とか。そういう気持ちいい瞬間が度々あります。

# Q 今後のビジョンは?

ITを使って人々の生活を幸せにする「ウェルビーイング・コンピューティング」という分野の研究があり、私は大学院生の時に、SNS依存症を解決するアプリの開発と研究をしていました。癖のようにSNSを触ってばかりいると、メンタル的に疲れてしまう。でも、なかなかやめられない……。そういう人間の習性をアプリでどうやったら解決するか、模索しました。

他にも、ダイエットをしたい人がモチベーションを維持しやすいようにサポートするアプリがあれば、楽しみながら自己実現ができる。自分ひとりの

力では無理だけど、ITの力を借りれば、もっと楽しい人生に変えることができるかもしれない。そういう分野に、すごく興味があるんです。これからも、その分野のアプリやサービスを作っていきたいです。

読者のみなさんへメッセージを！

\* \* \*

　ITを活かせる場面って、たくさんあります。ITを使うと、これまでできなかったことができるようになる。これはすごく大きなことだと思います。

　ITのサービスもデジタル機器も、アクセシビリティが高いものは視覚補助や聴覚補助があって、障がいのある方も便利に暮らせるようになります。そういう意味でも、ITは分けへだてなくたくさんの人を幸せにできる素敵な技術だと思います。みなさんにもこの分野に入ってもらって、新しい技術やアイデアがどんどん生まれたらうれしいです。

　プログラミングは、PCさえあればどこでもできるし、自分で勉強するためのコンテンツもたくさんあるので、興味があったら気軽にやってみてほしいです。ちょっと作ってみるとか、とりあえずこのチュートリアルで勉強してみる、というふうに、ハードル高く感じずに始めてみてください！

研究開発・エンジニア

# 村田華蓮<sub>むらたかれん</sub>さん

エンタメ×工学は面白い！
アイデアを自分で
かたちにできて
プロフェッショナルと
一緒に働けるのは、
エンジニアならでは。

**PROFILE** 音楽が好きで、中高時代から音響工学に興味を持つ。大学の情報理工学部で学び、大学院ではVR/AR空間での触覚を研究した。修士1年の時には、メキシコの大学に留学。その後、2020年にソニー株式会社（現ソニーグループ株式会社）に入社。現在は、サウンドのAR技術を扱う研究開発・エンジニアとして活躍中!

## Q 子どもの頃、好きだったことは？

百マス計算が大得意で、ものづくりが好きな小学生でした。中1の時、自由研究で「カビ」をテーマにして、食パンにジャムやバターなどいろいろなものを塗って……2週間放置したらどれだけカビが生えるかやってみました。ちゃんと顕微鏡で観察して提出したら、生物の先生にほめられました。

音楽もずっと好きで『billboard TOP40*』は毎週欠かさずチェック。日本の中高生で一番洋楽に詳しいのではないかと思っていたくらいでした（笑）。

*billboard TOP40：1983年からテレビ神奈川で放送されている洋楽ランキング専門の音楽番組。アメリカの音楽週刊誌「Billboard」の最新シングルヒットチャート上位40曲をアーティスト情報を交えながらランキング形式で紹介している。

## Q ITに興味を持ったきっかけは?

　もともとPCが好きで、4歳くらいから父のPCで英語学習ゲームを楽しんでいた記憶があります。インターネットを使い始めたのは小3くらい。社会科の授業で、みんなは図書館の本で調べるなか、私はネットで調べた資料をプリントして持っていきました。PCを使えばいろんなことができるし、「インターネットってすごい!」と体感していたので、将来それを使って仕事をするのだろうなというイメージは、その頃からありましたね。

## Q どのようにして文系/理系を選んだの?

　理科の実験は好きでしたが、勉強はあまりできなくて、理系の成績は普通でした。でも、自分は理系っぽいという自信はあったので、高校の文理選択では理系を選びました。親からは「将来は薬剤師がいいよ」と言われていました。資格がある職業なので、そうだなと思いつつ、自分は向いていないなとも思っていました。

## Q 中高時代のエピソードといえば?

　大学受験を失敗して挫折したことがあります。現役の時に志望校に受からず浪人して、学び直しをしました。親から「自分のお金で全部やるように」と言われたので、アルバイトをかけ持ちしながら勉強しました。節約のために電車に乗らず、1日トータル2時間自転車をこいで塾とバイト先を行き来したり。その時に、今まで受けてきた教育のありがたさを感じました。浪人時代がなかったら大学でがんばれていなかったと思います。

## Q 理系科目の勉強はどうしていた?

　私、もともと理系科目が得意なわけではなかったんです。得意ではないなりに努力したことは、「覚える」のではなく、1個ずつ理解をしていくこと。いくら小さな疑問でも、自分で確認したり、恥ずかしくても先生に訊いたり。理解を突きつめた結果、数学を楽しいと思うようになりました。私の場合、人と比較せず、自分が理解するための努力を自分のペースでやったらすごく身についたので、もし悩んでいる人がいたらそうしてほしいなと思います。

## Q 進路はどうやって決めたの?

　将来はどうにか音楽にかかわる仕事がしたいと思っていました。高1の時に音楽と工学をかけ合わせた仕事はないかな? と調べて、音響工学を知り、そこを目標にしました。自分にはアーティストのような才能はないけれど、理系分野の技術的なサポートなら最新の音楽にかかわれるのではないかという考えで……。周辺には、メディアアートやプロジェクションマッピングなどいろいろなテーマがあったので、もし音響工学が合わなくても他に興味を持てるかもという気持ちで、理系の単科大学の情報理工学部を選びました。

## Q 大学ではどんなことを学んだ?

　情報理工学部は「女子学生の割合は1割」とは聞いていましたが、目で見ると「こんなに少ないんだ…!」と衝撃を受けました。でも少ない分、女性同士のコミュニティが自然と生まれて、居心地はよかったです。当時研究室を決める段階で、教授に「音響だと就職先は補聴器の会社が多い」と言われ、思い描いていた将来とギャップがあるかもと悩みました。そこで、いろいろ探すうちにVR*/AR*に出会い、進路を変更。それからはVR/AR空間で使う触覚のデバイスの研究をしました。修士1年の時はメキシコの大学に留学しました。

## Q メキシコに留学してよかったことは?

　メキシコの学生は、同じ理系でも考え方やキャリアプランの築き方が積極的で刺激的でした。自分なんか……という消極的な考え方ではなく、もっと上を目指して世界で活躍するぞ! という目標がある学生が多かったです。

　また、メキシコでも工学分野は女性が少ないのを目の当たりにしたので、後輩たちが同じ思いをしないように、せめて自分のいる国からでも変えなくてはと強く考えるようになりました。

　帰国後、就職活動をスタートした時には、ある意味「無敵感」を持っていた

*VR:「Virtual Reality」の略で、「仮想現実」と訳される、コンピュータが作り出した仮想空間の中に入ったかのような体験ができるテクノロジーのこと。

*AR:「Augmented Reality」の略で、「拡張現実」と訳される、現実の空間にデジタルコンテンツを加えるテクノロジーのこと。

というか。いろんな経験をしたからこそ、自分に誇りを持って就活ができたのはすごくよかったなと思います。

## Q 今はどんな仕事をしているの?

ソニーグループ株式会社のR&Dセンターというところで、主にヒューマン・インタラクション技術の研究開発をしています。今は音のAR技術を扱っています。仮想的な音を現実の世界においていくことで新しい**エンタテインメントの体験***を作るというものです。

例えば、スマートフォンを持って歩くと、場所によって仮想的な音が聞こえたり、足の動きに合わせて足音が変化します。GPSで位置情報を管理して、この辺に来たらこの音が出るように設定したり、スマートフォンのセンサーを使って、足を踏みしめた時の状態を検知して、仮想的な足音を加えたり。実際はコンクリートを歩いていても、森の中で枯葉を踏んでいる音を仮想的に音でつけることで、その世界に没入できるようにしています。先輩方が作った技術をチームで検証している段階ですが、埼玉の飯能にあるムーミンバレーパークや、ドバイ万博などで一般の方にも体験してもらいました。

## Q 仕事の楽しいところ・やりがいは?

日々面白いアイデアを持った人に会えること。一緒に仕事ができること。仕事をする上で、コミュニケーションはとても大切です。特に新しい体験を作る時にはどういうものが必要とされているかを理解しておきたいので、チームの外の人に聞きに行ったり。そこで面白い考えを聞けると楽しいです。

今、複数のプロジェクトを並行してやっているのですが、エンジニアを担当しながら、1つのプロジェクトでは開発のプロジェクトリーダーを任されています。若いうちからチャレンジできる環境があると感じます。

■ ■ ■ ■ ■ ■ ■ ■ ■ ■ ■ ■ ■ ■ ■ ■ ■ ■ ■ ■ ■ ■ ■ ■ ■ ■ ■ ■ ■ ■ ■ ■ ■ ■ ■ ■ ■ ■ ■ ■

*現実世界に仮想世界の音が混ざり合うソニーによる新感覚のSound AR™。ソニーのオープンイヤーステレオヘッドセット (STH40D) を装着して歩くことで世界観に没入し、新しい魅力や楽しみ方を発見できる。
https://youtu.be/YeYp8pjJoz0

## Q 平均的な1日のスケジュールは?

だいたい9時半〜19時は働いています。フレックスタイム制*なので、早い時は7時くらいから仕事をスタートすることも。午前中に各プロジェクトのミーティングを入れて、午後は極力、開発優先で進めることが多いですね。

## Q 働く・休むのON／OFFはどうしているの?

最近は働きすぎてしまう時があるので、意識的に抑えるようにしています。例えば、平日の夜は自分で夕飯を作るために、必ず家に帰るようにするとか。休日は翌週に活かせる知識をインプットする時間だと思っているので、本を読んだり、仕事につながりそうな経験をしてみたり。去年からハマっているのは、シルバーアクセサリー作り、キャンプ、上手ではないですが裁縫。

## Q ITエンジニアとして働くメリットは?

面白い技術を使えて、面白いアイデアをものにできる人たちに出会えること。構想を持っている人はいると思うのですが、実際に形にするまでが大事で、形にできる力を持っている人は、エンジニアリングができる人だと思うのです。各分野のプロフェッショナルが集結している場で、そういう方々と一緒に働けることが自分にとっては面白いです。若いうちから面白いと思ったことを形にする環境がある。提案できる場所がある。聞いてくれる人がいる。これらはエンジニアならではのメリットだと感じます。

今はこの仕事が本当に楽しいので、他はあまり考えられないです。ただ、常に勉強は必要。一度身につけたら一生困らない、というものではないので、努力して学び続けることで面白い体験や経験をたくさんしたいです。

## Q 今後のビジョンは?

言葉としてはかっこよすぎるかもしれませんが、未来に人々が使っている当たり前のものやサービスを作ってみたいです。今はチャレンジ期間。

*フレックスタイム制：労働者が日々の始業・終業時刻、労働時間を自ら決めることによって、生活と業務との調和を図りながら効率的に働くことができる制度。

　また、30代のうちにPh.D.*はとりたいですね。他分野のプロフェッショナルと対等に話すために、経験を積みたいと思うことが度々あるので。

　そしていつか、アメリカのハリウッドで働きたいです。向こうは最新技術を取り入れるスピードが速い。先月、ロサンゼルスにあるソニーの映画ビジネスのスタジオに行って、将来ここで働きたい！ と希望を持って帰ってきました。エンタメ×工学が、もっともっと増えていくといいですね！

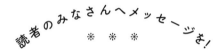

読者のみなさんへメッセージを！
＊　＊　＊

　私は大学生の時、下手でもまずは手を動かして作ってみることが大事だと学びました。それを教えてくれたり、結果はどうあれ一緒に楽しんでくれたりする仲間がいたのはよかったなと思います。もし自信を失っている人がいたら、仲間に出会うことから始めるのはありです。

　また、私は自己肯定感がとても低かったのですが、ここ2年くらいでやっと変わってきました。昔は、やらなければいけないことをため込んで、切羽つまっていたのですが、今は好きなことをやる時間を大切にしています。ちょっと面白そうだからやってみようという感じで、発想を転換するだけで、すごく気が楽になりました。

　みなさんも、理系だからこれをやらないと、これができないと、と焦ることもあるかもしれないけれど、面白そうなことからやってみましょう。完璧にやりきらなくてもいいし、もし自分に合わなければやめてもいい。他にも居場所はあるから大丈夫です。失敗したらガッツポーズです!!

*Ph.D.：Doctor of Philosophyの略。日本では「博士」と呼ばれる学位。

## 社会起業家・ソフトウェアエンジニア

# 咸多栄さん
（ハム ダ ヨン）

自分の持っているスキル×ITは強い。私たちの世代が社会を変える努力をしているから、安心して飛びこんで！

**PROFILE** 韓国のソウルで生まれ、3歳から茨城県で過ごす。大学は文系の外国語学科へ。卒業後、新卒で独立系のSIerに入り、約4年の間に2社経験した後、ウェブ業界にキャリアチェンジ。28歳で独立し、bgrass株式会社を設立。2022年8月にIT業界で働く女性エンジニア向けプラットフォーム「sister」をリリース。「Ms.Engineer」にも参加し、女性エンジニアの育成にも努めている。

## Q 子どもの頃、好きだったことは？

小学生の頃はゲームですね。ピアノを弾いたり、絵を描いたりも好きだったけど、やっぱりゲームにワクワクしていました。父がシステムエンジニアで、PCは家にあったので幼い頃から当たり前のように触れていました。当時流行っていたFlash*を見て遊ぶことが多かったです。

## Q どんな中高時代を過ごしたの？

私、実は中高時代が波瀾万丈でして……。中2まで優等生で、通信簿はオール5だったんですが、中3くらいでグレて学校に行かなくなり、そのまま通信

*Flash：アドビシステムズが開発した、ウェブブラウザ上でアニメーションを扱うための規格および表示ツールの総称。

制の高校に入ったんです。苦しかったのは、高2の時に父が癌で亡くなったこと。それがきっかけで立ち直って、必死に勉強して地元の大学に入りました。

## Q 大学の学部はどうやって選んだ?

私は韓国国籍で、3歳からずっと茨城県に住んでいましたが、家の中は韓国の文化なんですよ。やはりグローバル思考でしたし、異文化も英語も学びたいと思い、外国語学科に入りました。大学では交換留学生に選んでいただき、カナダに7ヶ月留学しました。

## Q カナダに留学してよかったことは?

海外留学は「チャンスがあれば行ったほうがいいよ!」と、みんなに言いたいくらいです。自分の視野や、許容できる範囲が確実に広がるので。文化の違いを経験したり、「そういう考え方もあるよね」と思えるようになったり。もちろん、英語力も今の仕事に活かせています。ITの仕事をしながら、文系で学んできたことが役立っているので、やはり自分の持っているスキル×ITがめちゃくちゃ強いなと思いました。

## Q ITの仕事に就きたいと思ったきっかけは?

実は、就活の時までIT業界は視野に入っていなかったんです。外国語学科だったので、商社の総合職など、英語力を活かせる企業ばかり受けていたんですが、ふと思い立って、ITの会社の説明会にも行ってみたんです。多分、父がエンジニアだったので、収入が良かったのを知っていたからかな。女性でもバリバリ仕事するのはかっこいいなと。ITを何社か受けたら内定をいただいたので、その道へ進みました。1社目は独立系のSIer*に入りました。

## Q ウェブ系にキャリアチェンジしたきっかけは?

1社目のSIerでもプログラミングはやっていましたが、プロジェクトを管理する仕事のほうが多かったんです。ある時、「もしこの会社に捨てられたら、私はどこにも通用しない」「一人で食べていけるような技術も身につけないとやばいな」と思いまして。25歳の時に、30歳になるまで1年ごとのプチ目標を作って計画を立てたんです。逆算してみると、今ウェブ系に転向して、

一人でプログラミングをして開発できるくらいになれば、きっといける。そう判断して、ウェブ系のエンジニアになることにしました。

## Q 今はどんな仕事をしているの?

bgrass*という会社を立ち上げて、IT業界の女性がメンターに出会えるマッチングサービス「sister*」を運営しています。会社のビジョンは、誰もがバイアスに左右されずに、いろいろな選択ができるような世界にしていくこと。「sister」のミッションは、Waffleと同じくIT業界のジェンダーギャップの解消に貢献していくこと。

「sister」には今、20人くらいの女性のエンジニアがメンターとして登録していて、利用者はメンターと自由に1on1*ができます。内容はお互いの合意のもとで決められるので、雑談を含めたおしゃべりもあり、悩み相談もあり。転職を考えて相談に来る方も多いです。IT業界で働く女性が離脱せず、継続的にキャリアを積んでいける環境を作っていきたい。また、未経験からエンジニアになる女性をもっと増やしたいです。

## Q どうして会社を立ち上げようと思ったの?

私自身がウェブ系にキャリアチェンジしようとした時、同じエンジニアでも使う技術が全然違ったので、相談できるメンターを探していたんです。でも、メンターになってくれる女性が全然見つからず。技術について質問する相手は男性でもいいのですが、オンラインで1on1というと、深層心理では女性がいいなと思うところが私にもあったんだと思います。そこで作ったのが、「sister」。最初は個人で運営してたのですが、続けるうちに、ジェンダーギャップの問題は個人の力じゃ解決できないなと。企業ともつながって社会を巻き込んでやっていきたいと考えて、法人化しました。

---

*SIer(エスアイヤー):System Integrator(システムインテグレーター)の略で、クライアントのシステム開発や運用、コンサルティングまで、様々な仕事を請け負う企業のこと。

*bgrass株式会社:《「なりたい」を解放する》というミッションのもと、IT業界のジェンダーギャップ解消に取り組む会社。 https://bgrass.co.jp

## Q sisterを運営していて苦労することは?

まずは資金。法人化するためには資金が必要だったのですが、投資家に相談しても「それって本当に必要なの?」と言われるところから始まります。私たちが当たり前に感じていることを、男性の投資家にはひとつずつ説明しなければならなかった。共感してもらえなかったり、市場規模が小さいから投資できないと言われたり。「ジェンダーギャップを解消すると、何が俺たちの得なの?」といった反応は、まだまだあります。

## Q ロールモデルや憧れの存在はいるの?

います! 2社目が社員2000人以上の規模の会社だったのですが、部長クラスに唯一女性の方がいました。私はその人の部署に配属され、間近で仕事ぶりを見て尊敬していました。

ウェブ業界に入ってからは、りほやんさん(高木里穂さん P118)。バイタリティがあって、自ら情報をたくさん発信されていて、いろいろな女性エンジニアに影響を与えていると思うのですが、私もそのうちの一人です。

## Q ITエンジニアとして働くメリットは?

いっぱいあります。スキルを身につけたらどこにでも行ける。会社が倒産しても、他の会社に行きやすい。給料が比較的高いし、基本的にフルリモート(自宅でも、海外の旅行先でも働ける)。これは環境によるかもしれないのですが、新しいサービスにかかわれることが多い。面白そうなサービスや、これから世界を変えられるんじゃないかと期待できるサービスに参画するチャンスがあるし、自分でも立ち上げられるんです。

*sister:IT業界で活躍する／目指す女性のための相談・支援プラットフォーム。
https://www.sisterwith.com/

*1on1:1対1でおこなう面談やミーティングのこと。一般的な企業では、上司が部下と対話し、部下の成長を促し組織力を強めることを目的におこなわれる。

## Q 今後のビジョンは?

　私自身が誰かのロールモデルのうちの一人になりたいというのが、ビジョンのひとつ。「sister」をきっかけに、上の世代の方ともつながることができて、ある女性が「自分たちの世代はちゃんとした環境を作れなかった。でも、私は今お金があるから、あなたたちを支援する。次の世代につなげるようにがんばってほしい」と言ってくれたんです。ジェンダーギャップの解消はとても大変なことなので、思いを受け継いで変えていかなきゃと思っています。

　そしてもうひとつ、私が起業した理由には、女性の貧困への課題意識もあるんです。女性がIT業界でしっかりお金を稼いで、やりたいことをどんどん自由に選択できるようにしたいと思って活動しているので、中高生のみなさんに「そういう選択肢があるんだ」と気づきを与えるチャンスがあれば、伝えたいです。IT業界でCTO*クラスの女性がもっと増えるといいですよね!

## Q 少しずつでも、社会は変わってきている?

　変わってきていると思います。ジェンダーギャップという言葉は、ここ数年で万人に通じるようになりましたよね。国立の女子大に工学部が新設されたりとか。数年前は、女性向けのITプログラムを調べても情報があまり出てこなかった。たくさんの人たちが声を上げてきたことが、すべて今につながっています。

　でも、まだまだだと感じます。企業のトップ層の意識は変わってきたのかなと思いますが、現場には浸透してないことがたくさんあります。解決するためには、もっと女性の割合を増やさなければなりません。

　「sister」を立ち上げたばかりの頃に、複数の企業から「うちの会社でも説明会をやってほしい」とお声がけいただけたのは、うれしかったですね。「女性のエンジニアを取りたい」という声も多いです。世の中が、女性へのフォローが必要だと気づき始めてきているんだなって。地道ですけど。

## Q 文系出身でも、ITエンジニアになれる?

　理系の人しかITエンジニアになれないという思い込みがあるなら、取り払ってほしいです。世の中のバイアスは強いかもしれないけど、実際、エン

ジニアの中には文系出身の人も多いです。私は今「Ms.Engineer*」にも携わっていますが、メインで活動している女性エンジニアも文系出身。文系・理系はそこまで大きく影響しないことを伝えたいです。

読者のみなさんへメッセージを！
＊　＊　＊

　IT分野に進みたいと思っているのなら、間違ってないよ! と言いたい。同時に、ちゃんと努力しないといけないよ、とも伝えたいです。ジェンダーギャップに関しては、私たちの世代が社会を変える努力をしているから、まだ足りないかもしれないけど、安心して飛びこんでほしいなと思います。

　もしIT分野を視野に入れていないとしても、少しでも頭をよぎるのなら、トライしてほしいと思います。まずは自分で試すことからでも。女性のエンジニアってかっこいいし、選んで損するような職業じゃないです。

　そして、エンジニアになったら次の世代にも還元してほしいです。教えられることは教えてあげてほしいし、イベントに登壇できる機会があったら、積極的に手を挙げてほしいなと思います。私も人前で話すのは苦手だったけど、必要なことだと思ったからがんばれた。そうするとチャンスもつかめます。何かを変えたいと思うなら手を挙げて、自分の背中を見せること。やりたい気持ちがあれば、なんだってできると思います。

*CTO：最高技術責任者。Chief Technology Officer の略。企業のIT分野をはじめとする技術部門を管理する役割。

*Ms.Engineer：日本で唯一、女性のみの環境でハイクラスエンジニアを育成する「ブートキャンプ形式」のスクール。https://ms-engineer.jp

ソフトウェアエンジニア
# 高木里穂さん
（たかぎりほ）

「自分には向いてない」は、
思い込みかもしれない。
エンジニアもアートも、
楽しいからやってみる！
自分の人生は
自分で選ぶ。

**PROFILE** 石川県出身、ニュージャージー州在住。奈良女子大学で情報科学を専攻し、大学院でヘルスケア×ITを研究した後、楽天に入社。スタートアップへ転職し、ZOZOなどのウェブアプリ開発に携わる。結婚を機にフリーランスに転身。パートナーの都合でアメリカに移住し、現在はフリーランスのエンジニアをしながら、ニューヨーク大学大学院の芸術学部に通う。マンガが好きで、スマホの待ち受けは『ブルーピリオド』。

## Q 子どもの頃、好きだったことは？

　一番好きだったのは読書。毎週、図書館で10冊好きな本を借りて読み尽くし、翌週にまた10冊借りるのが楽しみでした。小6の時に父が買ってきたPCでタイピングソフトをやり続け、全国大会に出場したこともあります。中学生からは、インターネットにハマりました。当時は無制限ではなかったので、ひと月のインターネット料金が2万円を超えて怒られることもありました。

## Q どのようにして文系／理系を選んだの？

　文理選択は高2の時。得意科目は国語と現代社会で、数学や物理は苦手でしたが、将来はPCに関連する仕事をしたいから、理系を選びました。理数科目では、めちゃくちゃ苦労しました。物理の試験で16点を取った時は、赤点なんて初めてで結構落ち込みました。

## Q 進路はどうやって決めたの?

　大学は、両親に地元の国公立に行ってほしいと懇願されていました。私は情報系に進みたかったので、筑波大なども視野に入れていたのですが、県外の大学を志望していることはギリギリまで言い出せず。親と意見が合わず、喧嘩することもありましたし、モチベーションを保つのも大変でした。でも、早く地元を出て新しいことをしたい、外の社会を見てみたいという気持ちで乗り切りました。最終的に、奈良女子大学の理学部情報科学科に決めました。県外でも実家まで帰りやすく、女子大だから親も安心してくれました。

## Q 大学・大学院ではどんなことを学んだ?

　奈良女子大学の情報科は、1学年30人程度の少人数制でした。PCは依然として好きだったのでホームページ制作などは続けていましたが、3年生までは与えられた課題をこなす受け身の授業が多く、せっかくIT分野に来たのに自分の手で作っている実感がなかったので、もう少し腰を据えて研究やもの作りをしたいと思い、大学院進学を決めました。

　大学院では、ヘルスケア×ITの研究室で、乳幼児突然死症候群という乳児の呼吸が止まって亡くなってしまう症候群の監視システムを作りました。

## Q 今の仕事に至るまでの経緯は?

　就活では、自由な雰囲気のベンチャーに勤めたかったので楽天へ。当時、社内の公用語が英語になり、新卒エンジニア50人のうち、日本人が10人、40人は他国出身というくらいグローバルな環境でした。配属先は、楽天市場のデータを分析したり、データを他の人が使いやすいように加工したりする部署。多様な同僚のいる環境で楽しく働いていたのですが、1年ほど経つと余裕が生まれ、外部の女性エンジニアを対象にしたイベントや勉強会にも参加するようになりました。そこで紹介してもらったスタートアップ*の会社に見学に行き、同じ年代のエンジニアの方と話したら、自分との技術や能力にかなり差があるとわかったんです。エンジニアとして、このままだともっと差が開いてしまうと思って、その会社に転職。

　最初はついていくのに必死で辛かったのを覚えています。ようやく慣れて、

開発も楽しくなってきた頃、会社がZOZOテクノロジーズ（ZOZOTOWNの開発・運用を行う会社）に買収され、「WEAR」というファッションコーディネートをするアプリケーションの**リプレイス\***を担当。その後、結婚を機に関西に移住し、フリーランスのエンジニアになりました。

　今は、パートナーの都合でアメリカのニュージャージー州に住んでいます。携わっているプロジェクトは、日本とアメリカ両方のもの。また、ニューヨーク大学の芸術学部のインタラクティブコミュニケーションという、**チームラボ\***のコンテンツのように、見るだけではなく参加者として体験できるアートを学ぶ学部で、大学院生もしています。

## Q フリーランスと会社員、どんな違いがある？

　フリーランスのメリットは、時間と場所の制約がないこと。週末を楽しみに平日の仕事を我慢するという考え方の人もいると思うのですが、私はそうなりたくなかった。自分の人生なのに、他人のルールにしばられることが嫌だったんです。私自身、会社勤めが性に合わないんですよね。

　フリーランスのデメリットは、1つのプロダクトを社員のようには愛せないこと。ベンチャーやスタートアップは、ワンピースの海賊団に入っているようなもの。社員は同じところを目指して一丸となって働くので、そこで味わう楽しさや、苦労との向き合い方、愛情の注ぎ方は、フリーランスとは違うなと感じます。一方、フリーの私を社員のように扱ってくれる会社と出会い、楽しく働いているので、一概には言えないのかもしれませんが。

## Q ジェンダーギャップを感じたことはある？

　高校生の時に理系を選んだら女性がかなり減って、1学年に10人もいないくらい少なくなった時にジェンダーギャップを問題だと感じ始めました。大学のオープンキャンパスに行っても、興味のある学部は9割くらいが男性。その頃から居づらさを感じて、エンジニアを目指すには覚悟が必要なのかなと

\*スタートアップ：革新的なアイデアでこれまでになかった新しいサービスを作り出し、急成長する企業のこと。

\*リプレイス：問題を抱えているシステムやソフトウェアを新しいものに置き換えること。

考えていました。でも、自分がやりたい道をそんなことで閉ざされるのは嫌だなと思ったので、あきらめず、自分が変えていく側になってもいいと思いましたし、意志が揺らぐことはなかったです。

## Q アメリカでギャップを感じたことは?

アメリカに来て感じたのは、「正解」があまりないこと。日本は美白が正、小顔が正、目を大きく見せるメイクがかわいい、こうするのがオシャレ、みたいな「正解」が結構あると思うんです。でも、アメリカにいると肌の色はみんな違うし、似合うメイクも服も違って多種多様な人がいる。私はそれまで日本の学校教育で、基準や正解が定められた中でいかに効率よく学べるかを考えてやってきたので、自分で0から考えてやることがなかったなと気づきました。最初はそこに文化の壁を感じて、不安でした。

## Q なぜ今、アート系の大学院に通っているの?

私には「絵が苦手だからアートには向いてない」という呪いのようなものがあったんです。でも、それってただの思い込みだし、やりたいならやればいいんだと気づきました。そこで、アートの勉強を始めました。もちろん、仕事にもつなげたいなと思っています。アーティスティックなところがエンジニアリングにつながる仕事もたくさんあります!

みなさんも「自分には向いてない」という言葉が頭に浮かんだら、一回「ほんとうに? 呪いじゃない? 思い込んでいるだけじゃない?」と聞き直すと、自分の考え方が偏っていると気づくかもしれません。

## Q 趣味は何をすること?

ずっとマンガが好き。『ブルーピリオド』*が好きで、主人公の矢虎が自分に重なるんです。私はTHE優等生で生きてきました。新卒で楽天を選んだのも、家族が知っている企業だから。世界全体で見ると、自分はだいぶ普通だなと。

---

*チームラボ:最新のテクノロジーを活用したシステムやデジタルコンテンツの開発を行うクリエイティブ集団。

*『ブルーピリオド』:漫画家・山口つばさが講談社「アフタヌーン」で連載中の作品。世渡り上手な努力型ヤンキーが主人公の美大受験物語。

そんなことを考えながら読んで、共感しています。

　行きづまったり落ち込んだりした時は、関連する分野の本をたくさん読むようにしています。エンジニアには、本は迷ったら買うこと、**積ん読\***すればするほど良いという風習みたいなものがあるのがいいなと思います。みなさんも、読書は自己投資だと思って、どんどん本を買ってほしいですね。

　最近は世界史や仏教を学んでいます。ワインも好きなのでソムリエの資格をとりたいです。

## Q 仕事外にどんな活動をしているの?

　もっと女性エンジニアが増えてほしいので、認知度を上げるイベントをやっています。こんなに楽しいことを「自分には向いてない」と思ってやらないのはすごくもったいない! それを伝えたくて、プログラミング初心者の女性向けの1日ワークショップ「Rails Girls」(P169)を主催したこともありますし、女性エンジニアを増やすためのカンファレンスをGoogleと一緒にやったこともあります。今は、**ブロックチェーン\***という技術を使った新しいパラダイムでweb3\*というものがあるのですが、そこにもジェンダーギャップがあるので解消したいと思い、コミュニティを作っています。

## Q 今後のビジョンは?

　エンジニアの活動もアートの勉強も、人の役に立つために活かせたらいいなと思います。自分が死ぬ時にお金なんて紙くずだから、いらないじゃないですか。ジェンダーギャップの解消をはじめ、自分がその時々に問題だと感じていることに取り組んでいきたい。「自分の人生は自分で選ぶ」と昔から自分に言い聞かせてきました。これからもしばられず、生きていきたいです。

---

**\*積ん読**:本を購入し、「いつか読もう」と思ってはいるものの、読まずに放置してある(積んである)状態。「積んでおく」にかけた言葉。

**\*ブロックチェーン**:情報通信ネットワーク上にある端末同士を直接接続して、取引記録を暗号技術を用いて分散的に処理・記録するデータベースの一種。

読者のみなさんへメッセージを！　＊　＊　＊

　ITエンジニアの一番大きなメリットは、場所と時間にしばられず働けること。ただ、自由に働けそうという理由だけでITエンジニアを目指すのは危ないなとも思います。IT分野で自由に働ける職業は、デザイナーやマーケターなど、他にもあります。

　だから、エンジニアリングそのものを楽しめるようになってほしいなと思います。ものを作るのって楽しいですよ。例えば、料理や建築など、ものを作る時には材料も準備も必要です。でもエンジニアリングは、自分のこの両手でタイピングするだけでアプリケーションが作れる。愛着の湧くものができあがるし、「作った！」という実感を持てます。

　また、私は数学や物理が苦手でしたが、まったく関係なく楽しんでいます。苦手意識を持っている方でも、ワークショップなどで一度触れてみて、楽しさを知ってから、進路を決めてほしいなと思います。

　それから、他人の人生を生きないこと。親や周囲の人にこうしてほしいと言われたからという理由で選ぶと、自分への肯定感が下がるんです。「自分の幸せは他人には決められないぞ」と思うことと、人に何を言われてもゆずれない、好きなことをひとつでも持っておくといいと思います。

　以前、noteで女性ITエンジニアたちが「私がエンジニアになるまで」を書くムーブメント＊がありました。それぞれに紆余曲折あって、どんな人のストーリーもすごく面白いので、よかったら読んでみてください！

- - - - - - - - - - - - - - - - - - - - - - - - - - -

＊web3：次世代のワールド・ワイド・ウェブとして提唱されているもので、「分散型インターネット」と言われている。

＊noteにて公開されている高木さんの記事「1人の女性がエンジニアになるまで〜りほやんの場合〜」はこちら。 https://note.com/rlho/n/n2639d44892ce

## サイト・リライアビリティ・エンジニア

# 岩尾エマはるかさん
いわ お

プログラムは芸術作品。
きれいに書けた！
と思える瞬間が楽しい。
「好き」という
気持ちを信じて、
スキルを磨けば、
世界で勝負できる。

**PROFILE** 大阪府出身、シアトル在住。大手外資系IT企業に所属し、自社のサービスを利用する技術者たちが、よりよい環境で開発できるように支援する仕事に従事している。2019年からアメリカ・シアトル支社に勤務。サイドプロジェクトとして、クラウド上のプログラムを使い、円周率を100兆桁まで計算。それまでの世界記録を塗りかえ、話題の人となった。

## Q 今はどんな仕事をしているの？

サイト・リライアビリティ・エンジニア（SRE）という立場で、自社が提供しているサービスがきちんと動いているかどうかを確認しながら、**システムの自動化や障害検知\***をしています。サービスを使ってソフトウェアを開発する人たちが、障害やエラーを心配することなく、機能をどんどん追加できるような環境を作る仕事です。

## Q ITに触れるきっかけは？

小1の時に、母がワープロ\*を買ってきたんです。教師だった母が試験問題

\*システムの自動化とは、これまで人手で行っていた作業の一部、もしくは全てを専用のソフトウェア等を駆使しながら、システムに代替させること。障害検知とは、ネットワークやシステムの不具合を見つけて対応すること。

を作るためだったのですが、キーボードで何かを打ち込むと画面上に文字が
あらわれるのが新鮮でした。その後、どうやらパソコンというものがあって、
ワープロ以上にいろいろなことができるらしいと知り、小5の時に買っても
らいました。いとこが環境を整えてくれて、プログラミングも始めました。

　それまでは、学校の勉強を真面目にやるタイプでしたが、PCが家に来て
からはずっとPCで遊んでいたので、成績が悪くなり……。オンラインゲーム
にもハマり、10代のほとんどの時間をPCとゲームに費やしました。気づけば、
25年くらいずっと飽きずに同じことをやり続けています。

## Q プログラミングの学習は何から始めたの?

　最初はC言語*でした。それ以外のプログラミング言語を知らなかったの
で、図書館で「C言語入門」と書いてある一番分厚い本を借りてきました。分
厚ければ一番詳しいに違いない! と(笑)。当時は半分も理解できてなかった
と思うのですが、本に載っているソースコードを写してみることから始めま
した。ずっと独学でした。大学に入って、ようやく専門教育を受けたんです。

## Q どうやって独学でプログラミングを習得していったの?

　参考書で学び、慣れてきたら「こういうのが作りたい」と思い浮かべて、ひ
とつのものを完成させる時に、一番伸びが大きかったと思います。例えば、
オセロのゲームを作ったり、MS-DOS*のデスクトップに時計を表示するプ
ログラムを書いたり。今は時計がデスクトップにあるのは当たり前ですが、
当時それをやろうとすると、工夫が必要だったんです。

　ひとつのものを完成させるためには、かなり気合いが要ります。たとえ7割
までは難なく作れても、残りの3割の仕上げのほうが難しいこともあります。

## Q 進路はどうやって決めたの?

　もともと算数は好きでしたが、中学校の因数分解でつまずいて数学に苦手

---

*ワープロ:「ワード・プロセッサ」(word processor)
の略で、文書を作成するための機械。

*C言語:1972年に開発された歴史あるプログラミ
ング言語のひとつ。ソフトウェアの開発だけでな
く、OSやロボットなどの開発にも使われる。

意識を持つようになり、文系を選びました。

　大学は、筑波大学の人間学類（現在の人間学群）に入りました。選んだ理由は、教育学や心理学に興味があり、試験も得意科目が多かったから。ところが、入学して1ヶ月ほど経った頃、授業中にPCを開いているととても珍しがられ、担任の教授から「そんなにコンピュータが好きなら、情報系に移ることができるよ」と言われたんです。半信半疑でしたが、転科試験に合格して、2年次から情報学類（現在の情報学群）へ。その後、コンピュータサイエンスを修士まで学んで、修了しました。

## Q 今の仕事に至るまでの経緯は?

　最初はIT業界で働くイメージはあまりなく、いろいろな企業の採用試験を受けて、大手の家電メーカーに就職しました。その後、Ruby*というプログラミング言語のカンファレンスで知り合った方に誘われて、会社を2年で辞め、モバイルゲームを作る会社に転職。それからはほとんどがウェブ業界で、開発されたアプリを動かす環境を作るインフラまわりのエンジニアとして働いてきました。約1年ごとに転職し、2015年に現在のIT企業に入社しました。

　ディベロッパー・リレーションズという部署で、社外の開発者が自社のサービスをよりよく使えるように支援してきました。どんな伝え方をすればサービスを使ってもらいやすいか、もしくは興味を持ってもらえるのかを考える仕事なので、コミュニケーション力が重要。カンファレンスに登壇して「こういう新しい技術があります」と話すこともしていました。その後、大規模サービスの運営をもっと知りたいと思い、SREになりました。

## Q キャリアを積んできた今、学生時代の自分に アドバイスをするとしたら?

　世の中にはたくさんの仕事があって、好きなことを活かせる分野は探せばあるし、自分で作り出すこともできる。だから、好きなことをやり続けて道

---

**\*MS-DOS**：マイクロソフトが開発・販売していた、パーソナルコンピュータ向けのオペレーティングシステム。

**\*Ruby**：1995年に一般公開された日本製のプログラミング言語。ウェブサイトやショッピングサイト構築、SNS開発などによく用いられる。

を切り拓けばいいんだよ、と言いたい。まわりの人から「難しいから無理だ」と言われても、鵜呑みにせずに。その人が今できないと思っているだけかもしれないし、社会がどうなっていくかを予測することは誰にもできません。

また、私は子どもの頃から変わり者扱いをされてきましたが、世の中は広いので変わり者はたくさんいます（笑）。大学に入ると「私は凡人だな」と思ったくらい。なので、あまり孤独を感じなくて大丈夫。過ごしやすい場所がきっと見つかります。それから、数学はちゃんとやっておこう！とも言いたい。

## Q ロールモデルや憧れの存在はいる？

まず、マーガレット・ハミルトンという科学者。初めて月面着陸に成功したアポロ11号の誘導コンピュータのプログラムを書いた人です。宇宙の話では、宇宙飛行士にスポットライトが当たることが多いですが、舞台裏ではたくさんの女性が活躍しています。かっこいいです。

今の仕事に就くきっかけになったのは、とあるイベントでJavaScript*の技術についてプレゼンをしていた方。魅力的で強く惹かれました。

その他、コミュニケーションの方法で影響を受けたのは、高校の時にやっていた『ダーク・エイジ・オブ・キャメロット』*というゲームのコミュニティ・マネージャー、Sanya Thomas。公式サイトで、プレイしている人の疑問や要望を吸い上げて、開発チームに持っていき、質問に答えたり要望を実現してもらうということをされていたんです。先日Twitterで直接お話できて、とてもうれしかったです。

## Q 今の仕事の楽しいところ・やりがいは？

私の中で、プログラムやコードは、芸術作品みたいなところがあります。上手に書けたな、きれいに書けたな、と思える瞬間に成長を感じるし、達成感があるんです。ひとつのプロジェクトでも、最初と今とではプログラムの

---

*JavaScript：ウェブサイトやシステムの開発に使われるプログラミング言語。動的なウェブページを作成することができる。

*『ダーク・エイジ・オブ・キャメロット（Dark Age of Camelot）』：多人数が同時参加できる大規模な対戦オンラインRPG。

美しさが違う。理解も深まった証拠なので、そういう時が一番楽しいです。

## Q 円周率計算の世界記録、おめでとうございます！どのように活動をしていたの？

「これがやりたいです」と会社に申し出て、サイドプロジェクトとしてやっていました。円周率は無限に続くということが証明されていて、手計算の時代の記録は500桁くらい。今はコンピュータを使って、何兆桁という膨大な計算をして競い合っています。円周率の計算にはいろいろな意義があり、大学の恩師は「桁数は文明の進歩の尺度になる」と言っていました。大量のデータを扱うので、コンピュータの性能や信頼性のひとつの基準にもなっています。

小学生の頃、家のPCでダウンロードした円周率を計算するプログラムに、当時の世界記録の詳細が書いてありました。「いつか世界記録に挑戦できたらいいな」という想いが、心のどこかにずっとあったのかもしれません。

## Q IT分野で働くメリットは？

私にとっては楽しい分野です。ITのすべてを熟知していなくても、自分の得意分野を理解してスキルを身につければ、世界で勝負ができる。そうやって今、私は好きなことを仕事にしてお金を稼いでいます。

ただ、私が次世代にメッセージを残す時に気をつけているのは、IT業界のイメージをユートピアのように伝えて「働きやすいからみんな来て！」と言うのは違うということ。どの分野も働きやすくなったほうがいいと思うので。

その上で、IT分野はバックグラウンドにかかわらず、スキルや得意なことを活かしやすいので、興味がある方には自信を持っておすすめします。

## Q 趣味は何をすること？

旅行が好きで、出張と旅行を合体させてあちこちを飛び回ることもあります。先日、ようやく日本の47都道府県を制覇。海外は40 〜 50か国を訪れたことがあります。エンタメでは、オンラインゲームとマンガ。ゲームは、『リーグ・オブ・レジェンド』*という対戦ゲームにハマって、先日eスポーツの世界大会を観戦してきました。マンガのおすすめは『ベルリンうわの空』*。

## Q 今後のビジョンは?

　注目度が高く、もっと社会にインパクトがある大きな仕事をしたい。より多くの人の生活を楽しく豊かにするために、自分の技術を使ってどんなことができるのか、常に考えています。一人ではできないかもしれませんが、他の人を巻き込んでやるならどんなことができるだろう、とか。自分のエッセンスとなる部分を多様なところへ活かして、人の役に立ちたいです。

読者のみなさんへメッセージを!
\* \* \*

　その人が、いつどんなきっかけで大きく花開くかというのは、誰にもわかりません。私は今でこそ、円周率の記録達成した人として注目してもらい、インタビューを受けることもあるのですが、そういう変化があったのは、ここ3、4年。 30代なかばになってからです。

　学生時代や就職して間もない時に、思うような活躍ができなかったり、まわりと比べて焦ったりすることもあるかもしれませんが、準備期間だと思って基礎体力をつけるのがいいと思います。

　好きな分野に飛び込んで、努力を積み重ね、ある程度の水準まで行くと、チャンスがめぐってくることもあります。私の場合は、コンピュータそのものが好きでした。楽しいことは、努力だと感じずにできるので。「好き」という気持ちを信じて、続けてほしいなと思います。

---

\*『リーグ・オブ・レジェンド (League of Legends)』: チームで戦うストラテジーゲーム。 eスポーツの競技タイトルとして世界中で人気。

\*『ベルリンうわの空』: 漫画家・香山哲がドイツのベルリンで暮らしながら、街から得られる空想や様々なカルチャーを描いた作品。

## ソフトウェアアーキテクト
# 西村知沙子さん
にしむら　ちさこ

「苦手」って
思わなくていい。
数学が嫌いな私でも、
エンジニアになれた。
努力を続ければ
「海外で働きたい」という
夢も叶う!

**PROFILE** 大阪府出身、ニューヨーク在住。高校の時は文系、大学は文理融合の情報学部に進み、ウェブ系企業にシステムエンジニアとして就職。その後、転職やフリーランスへの転身、フィリピン留学などを経験。エンジニア歴は10年以上。現在は、ソフトウェアアーキテクト*として、メーカー企業の業務システムの運用を担当。念願叶って、2022年10月からニューヨークを拠点に働くことに!

## Q 子どもの頃、好きだったことは?

　小学生の頃は自由研究がすごく好きでした。何かを作る時には完成させる喜びよりも、作る過程のほうに楽しさを感じるタイプ。それは、エンジニアとして働く今も同じです。

## Q どのようにして文系／理系を選んだの?

　私、ど文系で数学が嫌いなんです。高校の文理選択でも迷わず文系を選びました。でも、PCはすごく好きだったんです。高校生の時に父親がPCを購入したので、それを使わせてもらって、好きなマンガやミュージシャンのウェブサイトやファンサイトを見たり、チャットをしたりと、インターネットの楽しさにハマりました。それもあって、ITの勉強をしたいと思い、関西大学の総合情報学部を志望しました。文理融合をうたっているので、文系科目だけでも試験が受けられたんです。

## Q 大学ではどんなことを学んだの?

科目は大きく3種類。コンピューティング系と社会情報システム系とメディア情報系。男女比は男性のほうが多かったです。

役に立ったのは、「UNIX*」と言われるOSの基礎科目。黒い画面にコマンドを打ち込む作業は、ITエンジニアになると必ずやるので、慣れておいてよかったです。また、助教授になられたばかりの女性の先生のゼミに入れたのはよかったなと思います。ゼミよりも広い範囲で学生の面倒を見てくださるその先生が、私のロールモデルでした。

## Q 今の仕事に至るまでの経緯は?

新卒でウェブ系の会社に就職して、システムエンジニアになりました。4年ほど勤めた後、担当するプロジェクトの規模が大きくなるにつれ、プレッシャーに耐えられなくなり、別の分野に移ろうと、図書館スタッフの求人に応募しました。3年くらい経った頃、IT業界の職場環境が改善されてきたことをニュースなどで知り、もう一度挑戦することに。

オンラインの会議システムを作る会社に1年弱勤め、退職後はフリーランスのエンジニアになりました。いつか海外で働きたいと望んでいたので、英語を学ぶため、フィリピンに留学もしました。しばらくはフリーで働いていたのですが、知り合いに誘われて、京都にある会社に就職。ある時、ニューヨークにある日系の会社の仕事を見つけて、土日に副業をすることにしました。いざ始めてみると、仕事はたくさんあったので、会社を辞め、副業を本業に切り替えました。

働きながら、事あるごとに「いつか海外で働きたいんです」と話していたところ、「関連会社でこういう案件があるからどう?」とご紹介をいただきまして。ついに、2022年の10月からニューヨークで働くことになりました。

---

*ソフトウェアアーキテクト：システムの組織や構造を理解し、統括する役割。ソフトウェア開発者の中でも専門性の高い職種。

*UNIX：最も歴史あるOSのひとつであり、コマンドと呼ばれる命令によって操作する。現在もネットワークサーバーの管理やプログラミング、研究分野などで幅広く利用されている。

## Q 文系出身でもITエンジニアになれる?

私は根っからの文系ですが、働くなかで「文章を読めること」と「話を聞けること」が大事だとわかりました。文系だから優れているわけではないし、エンジニアに限った話ではないと思うのですが。上司に「あなたは話が通じるね」といったニュアンスのことを言われて、自信をつけました。設計書の内容を正確に理解して、それに応える仕事ができていたのかなと思います。

実は、エンジニアは理系以外の知識や考え方を活かせる面がたくさんあります。例えば、ゲームの開発では、三角関数など数学の知識が必要ですが、私がやっているのはそれとは異なり、お客さんの「こういう機能がほしい」と要望を、どうやったら叶えられるのか考えること。コミュニケーションを取りながら業務の内容を理解したり、アプリを作るための知識をつけたり。そういうところで自分の経験や得意なところを活かせていると感じます。

## Q ITにかかわる前後で人生はどう変化した?

困ったことや、面倒な作業に直面した時に、それまでの方法をひたすら続けるのではなく、「うまく楽をする方法はないか?」という思考が働くようになりました。「楽をする＝サボる」ではなく、この作業を短時間でできるプログラムを自分で作るか、既存のプログラムを探すか、はたまた視点を変えて、そもそもその作業が必要かどうかを考える。そういう思考のプロセスが加わったのは、エンジニアをしているからだと思います。

## Q 仕事をしていて面白い瞬間は?

私は新しいものが好きなので、最新の技術は積極的に取り入れたいです。新しいフレームワーク*は洗練されているので、実装してみると「すごい!めっちゃ簡単にできる!」と、驚くことばかり。その瞬間が面白いです。

## Q ITエンジニアとして働くメリットは?

①時間の融通がききやすいこと。②転職しやすいのでいろんな会社を経験できること。③海外でも働きやすいこと。エンジニアにもたくさん種類があるので、すべてに当てはまるわけではないのですが。

エンジニアの場合、海外でよく使われている言語やフレームワークを使えると、どこにいても仕事ができます。今は円安ですし、海外のエンジニアの収入額を聞くと桁違いなので、もし英語ができるなら、海外の仕事を視野に入れてもいいと思います。

## Q ジェンダーギャップを感じたことはある?

振り返ると、私が就活をしていた頃は、「結婚したら会社を辞めますか?」「子供ができたら辞めますか?」と質問されたらどう答えるか、準備をしていました。当時もアウトな質問だったとは思うんですけど、今よりもそういうことがまかり通っていた時代でした。実際、面接で「この業界、おじさんばっかりだけど大丈夫?」「おじさん好き?」と訊かれたことも……。セクハラっぽい雰囲気ではなかったので「全然大丈夫です!」とニコニコ答えてましたね。でも、今考えるとおかしい。当然、入社すると男性のほうが多く、私にとっては働きづらい状況も多くありました。長時間労働も今より当たり前だったので、そうなるとどうしても女性は体力的に不利だなと感じました。

そんな頃、フェミニズムに出合って救われました。今までのモヤモヤに対して、「それって私個人のせい?」「この社会にジェンダーギャップがあるのが問題なんじゃない?」と考えるようになりました。この本の著者であるWaffleは、まさにこの問題に取り組んでいるので、とても共感しています。

## Q モチベーションを保つためには?

「ポモドーロ・テクニック*」を取り入れています。25分集中して、5分休む。ニューヨークに移住する前は、ミーティング以外の時間は自分一人で黙々とやるという、孤独な仕事スタイルでした。寂しかったり、単純作業が続いて辛いという時は、Podcastを聴きながらやると、多少気が紛れます。ちなみに、お気に入りは「歴史を面白く学ぶコテンラジオ*」です!

*フレームワーク:システムやアプリなどを開発する時に必要な機能をまとめて提供してくれるツール。

*ポモドーロ・テクニック:仕事や勉強の時間を25分ごとに分け、5分の休憩をはさみながら作業をこなすという時間管理テクニック。集中力が高まり、生産性が上がると考えられている。

## Q コミュニティや勉強会に参加するメリットは?

私がフリーランスで働けるようになったきっかけも、エンジニアのコミュニティや勉強会に参加したから。ちょっとでも会社の外に人脈を広げておくと、つながる可能性があるので、大事だと思います。最初に参加したのは「Rails Girls*」。無償で女性にプログラミングを教えて、今後につなげようという団体があるというのは、目から鱗。それ以来、いろんな勉強会に参加するようになりました。IT業界には「みんなにとって便利だから、シェアするね」というオープンソースの考え方があるので、それを知れたのも良かったです。

## Q 今後のビジョンは?

海外で暮らしながら働きたいという想いを持ち続けて、いよいよニューヨークでの暮らしがスタートしました。環境が大きく変わり、仕事でも英語を使うので新鮮です。アメリカには「Girls Who Code*」など、ITにかかわるNPO団体やコミュニティがたくさんあるので、どんな活動がおこなわれているのか、間近で見てみたいです。

## Q 自信がない時はどうしたらいい?

私は、大学受験の時に数学の先生のひと言に傷ついた経験があります。共通テスト用の数学の補講を受けようと思って、その教室にいたら、「なんで君そこにいるの?」って言われちゃったんですよ。「私、このレベルの授業を受けても間に合わないくらい数学ヤバいんだ……」と落ち込みました。今思えば、実際、数学は苦手でしたが、先生が苦手バイアスを強めちゃダメだろうと。

それから、世界的な統計で日本の女性は数学ができるというデータ(P23)

---

■■■■■■■■■■■■■■■■■■■■■■■■■■■■■■■■■■■■■■■■

\* 「歴史を面白く学ぶコテンラジオ」：学校ではなかなか学べない国内外の歴史を3人の軽妙なトークで読み解くPodcast番組。

\*Rails Girls：多くの女性がプログラミングに親しみ、アイデアを形にできる技術を身につける手助けをするコミュニティ(P163)。

もあるので、もしそれを知っていたら、「このクラスでは順位が下でも、視野を広げたら、私はそんなに数学が苦手ではないかもしれない」と思えたはず。

だから、自分の選択肢を自分で狭めないためにも、「苦手かも」と思っている人がいたら、「ちょっとその考え、待って!」と言いたい。まわりの大人たちは、若い人たちにへんな呪いをかけないように! と思いますね。

読者のみなさんへメッセージを!
＊ ＊ ＊

ITエンジニアにならなくても、ITにかかわる仕事はたくさんあります。例えばプロダクトマネージャーや、デザイン方面だとウェブデザイナーやUXデザイナーなど。「理系じゃないから」という理由でIT分野をあきらめるのは、もったいないです。

それと、どの職業を選ぶのかと、どこの場所で働くかで給料は変わってきますよね。「もっと早く知っておきたかった!」と言っている同年代の友達もいるので、みなさんにもIT分野の仕事は比較的お給料がいいというのと、IT分野はこれからも仕事量はたくさんあるから需要はあるということを知ってほしいです。それでもまだまだ人材不足で、ジェンダーギャップがある業界。みなさんはどうやったらこの業界に来てくれますかね? 私も知りたい!

\*Girls Who Code：2012年にアメリカでスタートした、女子中高生にプログラミング教育を無償で提供しているNPO団体（P163）。

フルスタックエンジニア

# 田中友彩さん
（たなかゆい）

「人生フルスタック」が
私のモットー。
自分で道を切り拓き、
達成感を得るのが好き。
仕事も趣味も何事も
チャレンジ！

**PROFILE** 専門学校を卒業後、23歳でシステムエンジニアとなり、複数の会社でエンジニアや会社経営を経験。その後、2016年からサイバーエージェントでフルスタックエンジニアとして働く。現在は「リモてなし」の開発責任者。世界最大規模のトランスジェンダーによるビューティーコンテスト「ミスインターナショナルクイーン」日本大会に出場、東京レインボープライドで講演をおこなうなど、本業以外の活動にも精力的。

## Q 子どもの頃、好きだったことは？

　小学生時代はサッカーに夢中でした。小5の終わりに「中学受験をしたい！」と親に言ってサッカーを辞め、受験勉強をスタート。その頃から算数が好きでした。あとは、機械をいじったり、未知なものに手を出すのが好き。中1の時にはお年玉でPCを買って、本を見ながら中をいじってパワーアップさせたり。当時、PCを持っている人は、まわりにいませんでしたね。

## Q どんな中高時代を過ごしたの？

　中2の時に燃え尽き症候群になったんです。中学受験に失敗して、高校はもっといいところを狙おうと、偏差値70まで努力したのですが、ふと「自分は何をやりたいんだろう？」と我に返って、やる気を失ってしまいました。受験がしたいだけだったんです。その後も勉強を一切せず、単願推薦で高校に入学するも、半分不登校。「算数が好きだった」という貯金を使って理系に進

んだものの、数Ⅱ、数Ⅲの授業には出ず、試験では鉛筆を転がして出た目の数字を書いて、卒業しました。

　勉強はしないけど、パズルは好きで、ナンプレやピクロスをずっと解いていました。そういう普通じゃない10代の日々を過ごすなか、将来のことだけでなく、生きるか死ぬかくらい悩んでいました。当時の生命線は、PCと音楽。兄から壊れたPCをもらったので、使えるパーツを自分のPCにくっつけたり、専門誌を買ってきて、中の仕組みを勉強したり。親は農家なのでPCは触らないですし、兄ともすごく仲が良いわけではなかったから、質問できる相手が身近にいなかった。インターネットがほぼなく、PHS*で連絡をとるような時代です。自分でどうにかしないと、やりたいことができなかった。でも、試行錯誤することに楽しさを覚えて、大抵のことは自力で乗り越えました。

　自分でどうにかするのは、もはや癖。当時、不便ななかで泥臭くやっていたことは、今では味わえない貴重な経験だと思っています。

## Q 進路はどうやって決めたの?

　高2から吹奏楽部に入って、音楽が好きだったので、高校卒業後は作曲の専門学校に進みました。そこで作曲をするための機械を自作したり、音楽の機材を揃えているうちに、音楽よりもPCが楽しくなったんです。じゃあこのままIT分野に行こうかなと思い、実家で農家の手伝いをしてお金を貯めて、システムエンジニアになるために日本電子専門学校に通い直しました。

## Q 今はどんな仕事をしているの?

　フルスタックエンジニア*として、複数のスキルを使ってマルチに仕事をしています。システム開発を担当するシステムエンジニア（SE）という職種は昔からありますが、近年ウェブ系のサービスを作るエンジニアは分業が進んでいます。バックエンド、フロントエンド、インフラエンジニアなど、それぞれが多種多様な技術を持っていて、チームでひとつのサービスを作るんです。

---

*PHS：1995年に移動体通信サービスとして登場し、今でいう携帯電話と同じように手軽に持ち運びができる連絡手段として爆発的にヒット。

*フルスタックエンジニア：設計から、開発・運用・メンテナンス・アップデートといったエンジニア業務の全てに携わる職種のこと。

でも、フルスタックエンジニアなら、一人で作れちゃいます。今は、サイバーエージェントで「リモてなし*」というプロダクトの開発責任者をしています。

## Q 今の仕事に至るまでの職歴は?

エンジニア歴は、17年目。23歳で専門学校を出た当時、エンジニアといえば、大手ITベンダー*と呼ばれる富士通やNEC、IBMなどから依頼されて、システムを開発する仕事が主でした。その時は、小さい会社のほうが動きやすいかなと思ったので、社員が100名くらいの下請けの会社に就職。5、6年働いた後、高校時代の友人から「ITの会社を作るから来ない?」と誘われ、立ち上げに参加しました。CTOという立場で責任者として経営にもかかわり、3年くらいかけて会社を大きくしていきました。その後、もう一度転職を試みて、2016年からサイバーエージェントに入社。メディア事業のアメーバブログを3年半くらい担当したり、サイネージのアプリを作ったり、新しいサービスもいくつか作りました。

## Q キャリアチェンジの時に意識したことは?

実は、サイバーエージェントの面接を受ける1週間前に性別適合手術を受けたんです。「性別を変えるんだったら、一気に全部変えてしまおう!」と思い立って、仕事もSEからウェブ系に移るために、転職活動をしました。

SEはクライアントから依頼を受けて、その会社に出向して働くことが多いです。リサーチしてみると、出向先の会社に私のようなセクシュアルマイノリティとどう接していいかわからない人がいた場合、トラブルになる例もあると知りました。私はそういう経験はなかったけれど、薄々勘づいていたので、自社サービスを持っているところに絞ってチャレンジすることにしました。

トランスジェンダーとして転職活動をするので、ハードルがあることは覚

■ ■ ■ ■ ■ ■ ■ ■ ■ ■ ■ ■ ■ ■ ■ ■ ■ ■ ■ ■ ■ ■ ■ ■

*リモてなし:オンライン接客システム。ビデオ通話や予約管理などの機能に加え、企業ごとのニーズや課題に合わせたカスタマイズ機能を開発・提供。 https://www.remotenashi.jp

*ITベンダー:システムやソフトウェアなどのIT製品を販売する会社。

悟していました。それを取り払うために、転職をサポートしてくれるエージェントさんに「今から手術をするので、転職先では女性として働きたい」「私のスキルセットを見て、会ってくれる企業をあたってほしい」と話したんです。

エージェントさんは「応募したい企業を10社ほど選んでもらえたら、先方に話してみます」と言ってくれて、ウェブ系の企業を10社を希望。何社かと面接しました。サイバーエージェントは、人事が私の背景も理解してくれる、良い方でした。性転換してから入社する人は初めてだったそうですが、純粋に私の人柄とスキルセットを見て気に入ってくれました。

## Q 仕事の楽しいところ・やりがいは?

ユーザーからの声がダイレクトに届くところ。もちろん、良い面も悪い面も両方届くのですが、「この機能、よかったです」「使いやすかったです」と言われる時が一番うれしいし、もっとがんばろうと思えます。

仕事を楽しくやりながら、「生きた証を残したい」というのが私のポリシー。自分自身に恥じないようなものを作って、お客さんに「よかったよ」と評価をいただくことが、やりがいにつながっています。

## Q ITエンジニアとして働くメリットは?

「これを作ったよ」と言えるのは、大きいと思います。承認欲求は満たせるし、それがダイレクトに味わえるのはITエンジニアならではかなと。私はもの作りが好きなんです。料理も凝ったものを作るのが好き。プログラミングはもの作りの手段のひとつなので、そういうのが楽しい人にはおすすめです。

また、システムやサービスを作るためには、世の中のいろんな側面を知る必要があるので、いろんな業界を覗けるのはメリットです。私は好奇心が強いので、ひとつの仕事をひたすら続けなければならない会社に入ると飽きると思います。もちろんひとつのことを突きつめたいという方もいると思うので、職人になりたいのか、多様なサービスに目を向けたいのかでキャリアパスが異なると思います。そこを見極めながら、この世界に入ってほしいです。

## Q 本業以外の活動をするメリットは?

副業は、技術を吸収したり使ったりできることが大きな利点です。本業で

使えなかった技術を副業で試せたり。時給制なので、空いた時間に集中して取り組んで稼げるので、わりと柔軟です。

　3年前、ミスインターナショナルクイーン*の日本大会に出たことがきっかけで、セクシュアルマイノリティのための求人サービスを運営する「ジョブレインボー」と知り合い、今は副業で技術顧問をしているんです。ご縁がつながって、セクシュアルマイノリティやレズビアンの方が安心してつながれるアプリ「PIAMY」を作ったり。副業でLGBTQの課題を変えていく取り組みにかかわることができるのはうれしいです。それまでは同じようなマイノリティの人とは一切かかわりがなくて、ずっと一人だったので。

　サイバーエージェントでは、D&I*にも取り組んでいます。社内でこういう事例やこういうバイアスがあるという具体的な話をして、発信しています。

## Q 平均的な1日のスケジュールは？

　本業は10時〜19時まで、1日8時間働いています。今は、週3勤務の週2リモートと決まっていますが、あくまで全社方針で、細かいところはチームに任されています。うちのチームはほぼ全員フルリモート。私は月に1、2回出社しています。本業が終わってから休憩して、深夜2、3時頃まで副業をします。6社くらいと契約していて、技術顧問をしたり、一人でがっつり開発するものもあります。

## Q 働く・休むのON／OFFはどうしているの？

　週2、3回ジムに通っています。低酸素ジムと言って、標高2500mくらいの脳酸素濃度の部屋でトレーニングする、スポーツ選手も通うようなジムです。休みの日は、一人でカラオケに行ったり、買い物したり。土日に副業を始めるのは15時頃。オン・オフの切り替えは、わりと柔軟にしています。よくストイックだと言われますが、達成感を得るのが好きなんです。仕事も趣味も。

## Q 今後のビジョンは？

　これからも現役エンジニアとして、人の役に立つものを作り続けたいです。

■■■■■■■■■■■■■■■■■■■■■■■■■■■■■■■■■■■■■■

*ミスインターナショナルクイーン：世界最大規模の
トランスジェンダーによるビューティーコンテスト。

*D&I：ダイバーシティ＆インクルージョン。
多様性を受け入れ、認め合い、生かしていくこと。

自分の技術力で社会に貢献したい。そんな思いでやっています。「人生フルスタック」というのが私のモットーなので、仕事も趣味も何事もチャレンジ。

　誰かがそんな私の姿を見て、がんばろうって思ってくれたらうれしいです。若い頃は、鬱になったことも、生きるのが辛くなったこともあり、普通ではないルートを自力で作ってはい上がってきたので。同じような悩みを抱えている人たちに背中を見せて励ましたいです。

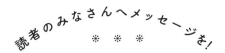

読者のみなさんへメッセージを！
＊　＊　＊

「こんなのできない」と歯止めをかけるのではなく、ダメかもしれないけどやってみよう、という精神で一歩踏み出すことが大事。プログラミングも難しいかもしれないけど「試しにやってみようかな」と軽い気持ちで触ってほしいです。 PCって壊れちゃいそう、と思うかもしれないけど、壊れたら直せばいいので。

　セクシュアルマイノリティで悩んでいる方には、一人で抱え込まないで！と伝えたいです。抱え込むとほんとうに何もできなくなるので。私は当時、転職エージェントに相談しました。友人に相談するとこじれることも多いので、悩んだ時は外部の誰かに頼ってほしいですね。

　東京レインボープライドやwork with PrideなどのLGBTQに関するイベントで話す機会もあるのですが、当事者はどう思っていて、どう接してほしいのかというのは、企業の人や学校の先生にも知ってほしいです。

　私は性別を変える時にすべてを変えるぞ！と思い切ったわけですが、「そんな真似できません」とよく言われます。でも、結果的に良いほうへ向かったのは、勇気を持って動けたから。がんばれば何とかなるんだと信じて、立ち直ってほしいです。

ソフトウェアエンジニア・
プロジェクトマネージャー

# 神谷 優さん
（かみや ゆう）

エンジニアは「手に職」。
子育てしながらでも、
長く働ける。
「これ欲しい！」を
自分の手で作れるのは
面白くて、強い。

**PROFILE** サイバーエージェント初の新卒エンジニア職採用で入社。そこから14年、メディアや音楽配信、教育サービスなどの事業に携わる。本業以外では、Waffleを手伝い、女性向けのプログラミングブートキャンプ「Ms.Engineer」の共同創設者としても活動する。Google主導の女性テックコミュニティではアンバサダーを務める。プライベートでは三児の母。Podcast「momit.fm」では子育て×テックをテーマに発信中！

## Q どんな幼少期を過ごしたの？

幼い頃から好奇心が旺盛で、トライしてみないと気が済まないタイプ。レストランで新メニューがあれば絶対試すみたいな（笑）。目立つことは苦手だったけど、「人とかぶらないように」と思っていました。あと、効率化にこだわりがあって。いつも勉強も遊びも最大化できるように考えてました。おかげで、親に「宿題をしなさい」と言われたことがないんです。

## Q どのようにして文系／理系を選んだの？

理系の成績が悪かったわけではないんですけど、数学が好きだったわけでもなく。もともと英語に力を入れている学校だったこともあって、英語は好きで点数も良かったし、英語を活かせる仕事をしたいなと。だから、文理選択では迷わず文系を選びました。

## Q 進路はどうやって決めたの?

　一般的な学部よりも、目新しい名前の学部に興味がありました。「メディア」とか「コミュニケーション」とか「ネットワーク」とか……。カタカナが入っている学部は英語も活かせそうだなと (笑)。結局、楽しそうと思って「ネットワーク情報学部」に入りました。文理融合だったので文系でもトライできたし、深く考えずに。ところが、蓋を開けてみたらがっつりとプログラミングをやる感じで、大変でした。

## Q 大学時代にはどんなことを学んだ?

　大学では、初日からいきなりコンピュータを自作する授業。難しすぎて、右も左もわからないまま……。1、2年のときは理解するというより、単位を取るための課題をこなすばかりでした。でも、C言語はごまかしがきかなかった。2年連続で単位を落として、3年になってさすがに焦り出して、近所のおじいちゃんが自宅でやっているシステム会社でPHPで作るウェブアプリ開発のアルバイトをさせてもらうことに。そこで初めて「プログラミング面白い!」と思えたんです。普段使っているアプリが作れるんだ、これがプログラミングなんだなと。将来はエンジニアも良いかもと思い始めました。スキルがあれば、子育てをしながらでも長く働けるんじゃないかなと想像していました。

## Q 今の仕事に至るまでの経緯は?

　サイバーエージェントがエンジニアの新卒採用を始めたタイミングで入社しました。産休に入るまで、メディア事業でエンジニアをして、育休後は音楽配信サービスのチームへ。締め切りがあるようなユーザー向けのアプリではなく、時間をコントロールしやすい楽曲提供者向けのダッシュボード*の開発を一人でやっていました。ところが、2人目の子の育休から復帰したときに、他のエンジニアとの技術差を大きく感じてしまって。コロナ禍で保育

---

**ダッシュボード**:複数の情報源からデータを集めて、グラフや表などで視覚的に確認できる掲示板のようなツール。マーケティングやセールスなどの現場で広く利用される。

園は休園になるし。ワンオペで保育園児二人を抱えて、仕事なんかできたもんじゃないんですよ。ついに糸が切れてしまいました。そこで、音楽分野よりも、自分がプライベートでも関心のある「教育」と仕事を関連づけたほうが充実するんじゃないか? と思って、シフトチェンジ。教育サービスの仕事を始めてからは、それまで抱えていた悩みもなくなりました。

## Q 今はどんな仕事をしているの?

サイバーエージェントの教育事業部で、教育×テクノロジーの「QUREO*」というサービスを開発しています。子ども向けのプログラミング教材で、「Scratch*」という言語を元にした教材を使って、ストーリーを楽しみながらゲームみたいにプログラミングを学べるもの。

私は去年3人目の子を産んで、今年4月に育休から復帰したところなのですが、ソフトウェアエンジニアとして開発しながら、メインはプロジェクト・マネージャーとして働いています。「QUREO」の海外展開のため、英語にトランスレーションする仕事にも携わっています。

## Q 仕事の楽しいところ・やりがいは?

自分が関心のある教育分野で働いているので、機能の追加ひとつとっても自分ごと。事業者からの要望で、タイピングの練習機能を追加するためのサーバー開発と設計を担当した時はモチベーションを高くできました。海外展開のために英語を使うのも、自分の強みを活かせて楽しいです。

## Q ITエンジニアとして働くメリットは?

「手に職」ですね。場所も時間も、融通がききやすい。もし日中に子どもが熱を出して「うわ、なんもできない!」となっても、寝かしつけた後にパパッとやることやってアウトプットできていればOKな仕事。QOL*の最大化はしやすいです。毎日、夜は子どもを寝かしつけたり授乳したりしながら、仕事の連

*QUREO:サイバーエージェントグループが運営する、子ども向けのオンラインプログラミング学習サービス。 https://qureo.jp/visual

*Scratch:プログラムのコードを入力しなくてもマウス操作などでプログラミングできるように設計されたビジュアルプログラミング言語。

絡に返信するのが習慣なんですけど、別に苦だとは思わないんですよね。仕事と生活、両方ができるのは効率的でいいなと私は思っているし、働きやすいです。昔はよく「ワークライフバランスを考えなきゃ」と思っていましたが、最近は「ワークライフブレンド」という言葉がしっくり来ます。あと、ITエンジニアは比較的収入が高い。しかもずっと需要があるんです。日本ではIT人材は2030年には最大79万人不足するというシナリオがある*くらい!

## Q ITエンジニアの魅力は?

　自分の手で何かを作ったり、効率化できたりするのって、すごく楽しいんです。私はITの力を借りて、家の中をスマート化しています。例えば、玄関をスマート化すると、来客があったとき、玄関に行って鍵を開けなくてもスマホで開けられる。Googleスピーカーも連携させているので、声だけで開けたり閉めたり。そういう発想は、全部エンジニアの仕事から来ているんです。仕事でもプライベートでも自動化できないかな、と考えて実行するのはかなり好きです。

　あと、娘が小1の夏休みに宿題をたっぷり持って帰って来た時に、宿題をこなすためのウェブページを作ってあげました。まず、どんな宿題があるのかホワイトボードにリストアップしたんです。ただ、ホワイトボードはすぐ消えてしまう。なので、iPadで確認できるようにと思ってウェブページを作りました。そのページには、宿題のチェックリストと、小さな占いモジュールを入れて。娘に毎日そのページを開いてもらうためです。そうやって、これ欲しい! と思ったことを自分の手で作れるのが、エンジニアの魅力です。

## Q ジェンダーギャップを感じたことはある?

「うわ〜、女の子少なくてめっちゃいやだわ〜」と思ったことは、実はなかったんです。困ったって思わないように思考を変えていたのかもしれないけど。

　でも、子どもを持つようになって、産休・育休というブランクがあったの

---

*QOL:Quality of lifeの略称。「生活の質」「生命の質」などと訳され、生きる上での満足度をあらわす指標のひとつ。

*経済産業省が2019年3月に公表した「IT人材の需給に関する調査」より。

は大きかった。育休から復帰した時、若手のエキスパートが集まるチームに戻ったんです。他のエンジニアと成長角度を比べたら、私はどうしても時間が限られるし、彼らには全然追いつけない。そこで「私はエンジニアとしてこの先やっていけるんだろうか?」と自信がなくなったんです。エンジニアって産休・育休があっても復帰しやすいし、営業職に比べたら時間にしばられず働ける。そうは言っても、1年間プログラミングにかかわらない期間があって、復帰したらまわりのエンジニアが男性ばかりで、自分だけ穴がぽっかり空いている状態は辛かったです。というのも、私は新卒エンジニア第1号。女性で開発の前線のチームに復帰したようなロールモデルが、会社にはまだいなかったんです。

## Q 女性エンジニアを支援する活動を始めたきっかけは?

女性エンジニアとして、「女性枠」でウェブや雑誌のインタビューを受けることがよくありました。嫌でもなければうれしいわけでもなく、「早くジェンダー抜きにインタビューされるようにならなきゃ」と。その頃、Waffleに出会って、自分のキャリアについて話せば、人をエンパワーすることができるのか! と気づいて、自信を持てるようになったんです。

それまでは、取るに足らないキャリアだと思ってたんですよ。どこまで勉強しても上には上がいるし。インポスターシンドローム*でした。でも、ちょうどその頃、世の中でも政治家の失言などが報じられて、ジェンダーギャップの問題が取り上げられるようになったんです。そっちに目を向けてみると、国内外に女性エンジニアのコミュニティはめっちゃある。そこに意義があったんだと初めて気づきました。

## Q 今後のビジョンは?

これからも「教育×テクノロジー」の分野で強み活かしてやっていきたいです。子どもたちがどうやったら楽しくスキルを身につけてくれるか、自分にとっても課題なので、力を発揮したいですね。娘を見ていると、この子た

インポスターシンドローム:仕事で成功したり評価を得ているのにもかかわらず、自分自身を過小評価してしまう心理状態のこと。女性に多いというデータも。

ちがIT業界にジェンダーギャップがある状態で入ってきたらよくないなと日々感じるので、そういうところにもアイデンティティを活かしたいです。

# Q プログラミングは何から始めたらいい?

やってみたかったら、とにかく手を動かすこと! 最初からコードを書くプログラミングだとハードルが高いかもしれないけど、「Progate」(P163) など、オンラインのプログラミング学習サービスは、初心者向けでわかりやすいので。HTMLやCSSでウェブページを作るのを体験してみるといいと思います。ただ色や文字の大きさを変えるだけでも、「おーっ!」ってなります。自分が見ているウェブページの仕組みがわかる瞬間があると楽しいですよ。

そして、私の大学時代のC言語みたいに苦痛になるんだったら、無理にやらなくてもいいんです。みんなC言語が難しくて、プログラミングを嫌いになっちゃうんですよ (笑)。プログラミング言語ってそれ以外にも多種多様にありますから。

読者のみなさんへメッセージを!

＊ ＊ ＊

今の時代は、動画配信やストリーミングが発達しているので、例えば日本にいながらアメリカの有名大学の講義が受けられたり、海外の人とオンラインでセッションできたりと、いいことがたくさん。ぜひ英語を身につけて、世界中のリソースに触れてほしい。特にITの発祥地アメリカのフィールドに触れてインプットしてみてほしいですね。

そしてもうひとつ、作りたいものを自分の手で作れる、表現できるっていうのは本当に強い。社会人になって、ビジネスの場に出て、自分自身で作れるって強みだなと思うことが結構あります。百聞は一見にしかずじゃないですけど、口で「こういうアプリが作りたいんです」と話すより、プロトタイプを作って見せる方が強い。技術やスキルを身につけて、ちょっとしたプロトタイプを作れるようになると、どんな場でも力を発揮できるんじゃないかなと思います。

# AI研究家・AIプランナー

## 大西可奈子さん
（おおにしかなこ）

ロボットと家族になりたい！と夢を抱いて、AI研究の世界へ。ITの可能性は無限大。作りたいものを見つけたら、気楽に始めてみよう。

**PROFILE** 幼い頃からコンピュータの魅力にとりつかれ、鉄腕アトムのようなアニメに登場するロボットが大好き。お茶の水女子大学・大学院でAIを研究し、博士号を取得した後、NTTドコモ、情報通信研究機構（NICT）にて対話AIの研究開発に携わる。AIを作る側から使う側へと視点を移し、現在は大手IT企業で、AIの設計・導入に取り組む。講演や記事の執筆、監修等も多数おこなっている。AIがたくさん使われる世の中を目指し、人材育成にも力を注いでいる。

## Q ITに興味を持ったきっかけは？

　幼い頃からコンピュータがすごく好きだったんです。初めはワープロが好きで、おもちゃ代わりに触っていたり。中学生の時に情報科学部に入ってPCに触れて、「この箱はなんかすごいぞ！」と。親にずっと欲しいとねだっていたところ、中3の時にやっと買ってもらって、当時まだあまり普及していないインターネットの回線も自宅に引いてもらって、そこからのめりこみました。高校生の時は、家でプログラミングばかりやっていました。

## Q どのようにして文系／理系を選んだの？

　文理選択は高2の時だったのですが、悩まなかったですね。自分はコンピュータをやるんだ、と当然のように思ってたんです。ターニングポイントがあるとしたら、初めてPCを買ってもらった中学生の時かなと。ずっとPCの黒い画面を見ながらカチャカチャやっている生活だったので、親からした

ら「謎の文字を打っているな…」という感じだったと思います。

## Q 進路はどうやって決めたの?

愛媛県出身なのですが、東京への憧れが強くて。東京は学べる機会も多いし、博物館も充実していますよね。まず東京に行きたい! が先にあり、都内でコンピュータサイエンスを学べる大学を調べて絞りました。

情報科学科は工学部の中に入っている大学が多いなか、お茶の水女子大学は理学部だったので珍しいなと思いました。当時の私は、工学部といえば、はんだごてを使ってハードウェアを作るイメージで、プログラミングのイメージがあまりありませんでした。好きだった数学も学べる理学部の情報科学科が合っているように思い、お茶大を選びました。

## Q どんな大学生活を過ごした?

女子大は自分に合っていてすごく面白かったです。高校までは理系のクラスにいたので、40人中7人くらいしか女子がいなかったんです。女子大に入ったら、「理系の女子いるやん! どこに隠れてたのよ!」って(笑)。うれしかった。話も通じるし、同じようなものが好きだったり。選んでよかったです。

大学では、情報科学の基礎を学びました。数学と工学、両方の勉強をしていました。私は4年生になってAIの研究室に入ったのですが、情報科学の授業で数学もきちんと学んでからAIの研究ができたのはよかったなと思います。博士号を取るまでずっと同じ研究室で、言葉に関するAI(自然言語処理*)を研究していました。

## Q AIや自然言語処理に興味を持ったきっかけは?

アニメやゲームが好きな子だったんです。一番は、鉄腕アトム*。それから

■ ■ ■ ■ ■ ■ ■ ■ ■ ■ ■ ■ ■ ■ ■ ■ ■ ■ ■ ■ ■ ■ ■ ■ ■ ■

*自然言語処理：人間の言語を機械で処理し、内容を抽出すること。言葉や文章といったコミュニケーションで使う「話し言葉」から、論文のような「書き言葉」までの自然言語を対象とし、それらの言葉が持つ意味をさまざまな方法で解析する処理技術を指す。

*鉄腕アトム：手塚治虫によるSF漫画。アトムは10万馬力のパワーと七つの力を備えた少年型ロボット。

機動戦士ガンダム*などもそうなんですが、アニメの中にしゃべるロボットが出てくるのを見た時、めっちゃかわいいなって。家族にしたいなとずっと思っていたんです。だから、何か作ろうという時に、言語処理をやってみたいと思いました。大学の研究室を選ぶ時も、先生が説明資料にアトムの写真を貼り付けていたので、ここだ! と思ったんです(笑)。

## Q 学び続けるためのモチベーションの源は?

私は博士課程まで行ったので、10年くらい大学・大学院にいたんです。博士号まで行くと、まわりが就職していくなか、自分だけ同じところにいるのは、いくら好きでもしんどいな、という時期がありました。でも、たまたま海外に行けるチャンスがあって。一年間、行ってからやめるかくらいの気持ちでいたんですが、いざ行ってみると、外の人と出会えて良い刺激をもらえたんです。海外の研究室にも女性がいて、一緒に議論をしていると、楽しい気持ちが戻ってきたんですよね。モチベーションが上がらない時って、無理をしてでも新しい世界に出たり、経験したり、全部変えてみたりすると、スッキリする。初心に戻れるというか。帰ってきた時は人生で一番やる気に満ちていて、いまだに「あの時はすごかったよね!」と言われます。

## Q 大学院を修了した後の進路は?

修了してからどうしようかなと考えた時に、研究を続ける道もあったのですが、自分の性格と興味の矛先は、企業で世の中の役に立つAIを作ることに向いていたので、就職活動をしました。1社目はNTTドコモで、AIエージェントや対話系の言葉を扱うAIを開発していました。

NICT*という研究所にも所属しながら、研究開発の部署でずっと働いていたんですが、ある時、AIを作る側と使う側の距離を感じて。社内でもすれ違

---

*機動戦士ガンダム：日本サンライズ制作のロボットアニメ。一年戦争と呼ばれる地球圏を巻き込んだ戦争に突入した国家を舞台に、主人公アムロ・レイの成長を軸として描く壮大なストーリー。

*NICT (国立研究開発法人情報通信研究機構)：情報通信分野を専門とする日本で唯一の公的研究機関。情報通信技術の研究開発を基礎から応用まで統合的な視点で推進し、同時に、大学、産業界、自治体、国内外の研究機関などと連携して、成果を広く社会に還元し、イノベーションを創出することを目指している。

いがあったので、なぜかと考えるうちに、作る側もいいけれど、使う側になれば、もっとAIを社会でうまく使えるようにできるのでは？と思ったんです。

そこで、IT企業に転職。今はカスタマーサポートの領域で、メールのお問合せやチャットボット*など、必要なAIを設計し、AIを活用するためのチームを新しく作ったり、AI人材の育成をしたりもしています。

## Q ITにかかわる前後で人生はどう変化した？

今でも覚えてるのはPCを買ってもらってインターネットもつながった時に、無限の世界が広がっている感じがしたんです。何でも作れるし、インターネットでどこまででもつながるし、とても自由な世界だなって。作りたいものがあったので、簡単なところから始めて、できあがるとすごくうれしくって。それをくり返していたので、そんなの楽しいに決まってるんですよ。自分の好きなことができて、作りたいものが作れるというのが、プログラミングのすごさ。もしITに出会ってなかったら、今何をしているか想像できないです。

## Q IT分野で働くメリットは？

飽きないと思いますよ。IT分野では、基礎を知っていて、技術のベースがあれば、それを応用するだけでいろんなことができます。ITと言うと一本しか道がないように感じるかもしれませんが、実際はその上に無限の世界があって、好きなところに自由に移動できるのです。それまでに得た知識や技術があれば、別のことにも挑戦できるので、そういう意味ではおすすめです。

---

*チャットボット：人工知能を活用した、自動会話プログラムのこと。 Webサービスのユーザーからの問い合わせなどで、コンピュータが人間に代わって対話する。

## Q ジェンダーギャップを感じたことはある?

　企業で働きながら、ジェンダーバランスは気になっていました。大きな部署にいた時に、一時期女性のマネージャーがいないことが続いて、ちょっと変だなと思っていました。ごく稀に一人だけ女性がいた時期は、話しやすく、心強かったので、いなくなってしまうと「ああ、もういないんだ」と。理系に女性が少ないからマネージャーも男性になるのは仕方ないよね、といった考え方は違うのかなと。

　人それぞれの性格もあると思うので、一概には言えませんが、私はあえて女性だから男性だからとは考えずに、スキルで戦おうと思ってやっています。IT業界は知識とスキルで戦える世界だと思うので、理不尽な目に遭わないといいなと願いながら、きちんと力をつけて、ここで戦おうと決めています。

## Q 副業をしていてよかったことは?

　開発をやっている時に、副業で講演活動をしていると、「AIを自分もなんとか使いたい」と思って聴きに来てくださる方々がいて、直接お話しする機会がありました。そこで、開発者は当たり前だと思っていることが、一般の人々には全然伝わっていないんだなと気づいてハッとしたんです。自分もAIを使う側になってみないとだめだと思い、転職するきっかけになりました。文系理系も、年齢も性別も関係なく、いろいろな人とお話ししてみると、やはり自分のいる世界に閉じこもって生きていてはだめだなと感じます。副業ではなくてもいいので、外の世界に出ていろいろな人と話すことは大切だと思って続けています。

## Q 今後のビジョンは?

　対話のシステムをずっとやり続けたいです。今は趣味でちょっと作っていますが、仕事では一旦休止しているので、もう少し技術が向上してきたら作る側に戻りたいなと思っています。もうひとつは、新しい会社で2年ほど働くなかで、AI人材の育成に面白みを感じているので、さらに本腰を入れて取り組みたいです。AIを使う人たちが知識を持って能動的にAIを使うのと、与えられたものをただ使うのとでは、全然意味が違うんです。作り手も使い手も、

両方必要なのですが、どちらかというと、AIエンジニアはある程度いれば大丈夫で、使う人たちがもっと必要だと思っています。一つの会社の中だと閉じているので、他のところでも、AIがたくさん実装されていくのを助けられる人材を育ててみたいなと思っているところです。

## Q AIで目指すのはどんな世界?

なぜAIを使うかというと、AIにできることは全部AIに任せて、人間は人間にしかできないことに集中する世界を目指すのが究極だと、私は思っているからなんです。AIに仕事を奪われるんじゃないかとか、そんなネガティブな話ではなく、人間はAIを使うことでもっとフリーになって、自分がやりたいこと、その人にしかできないことをやる。そうなるとみんなハッピーなのではないかな、と。AIはたくさん使ってもらうと、技術の精度が上がっていくものなので、どちらも幸せになれます。どんどんAIが使われる世界を目指して後押ししたいなと思います。

読者のみなさんへメッセージを!
\* \* \*

プログラミングって楽しいものなので、まずはその楽しさに気づいてもらえればなと思います。プログラミングにもいろんな学び方がありますし、「これを作りたい!」というところから出発してぜひ取り組んでみてほしいなと。ただ"Hello, World"と書いていてもつまんないかなと思うんですよね。やっぱり自分の作りたいものを、そのまま理想通りに作れなかったとしても、ちょっとでも動かせたら感動しますよ。私はすごく感動したので。

作りたいものが見つかったら、ITはそれを作るためのツール。もちろん仕事にしてもらえたらうれしいですが、おもちゃみたいな遊び感覚でもいいと思います。他分野で働きながらプログラミングでいろんなものを作っている人は、世の中にたくさんいます。重く考えず、ちょっと作りたいなくらいの気持ちから、気楽に始めてもらえたらいいなと思います。

コンピュータグラフィックス
研究者

# 五十嵐悠紀さん
（いがらしゆき）

「手芸×IT」も
学問に！

ITはいろんな分野との
架け橋になる。

アイデアの種は、日常に
転がっているはず！

**PROFILE** お茶の水女子大学理学部情報科学科准教授。専門は、コンピュータグラフィックス（CG）や
ヒューマン・コンピュータ・インタラクション（HCI）。CGを使って、誰でも簡単にぬいぐるみなどの手芸作品を設
計できるソフトを研究・開発。その他にも、ステンシル、ビーズ細工など「手芸×IT」をテーマに、自ら作り出す
楽しさを味わうためのCG技術を研究している。プライベートでは2男1女の母。

## Q どんな研究をしているの？

　手芸と情報科学をかけ合わせた研究をしています。人間とコンピュータの
やりとりや、相互作用を研究するヒューマン・コンピュータ・インタラクショ
ンの領域です。手芸で何かを作りたいなと思った時に、できあがりを想像す
ることはできても、イメージを型紙に落としこむのはすごく難しいんです。

　そこで、専門的で難しい設計の部分をCGを使って簡単にできないかな？と
思って研究を始めました。例えば、ぬいぐるみの場合、画面上で線を描くと、
その線をコンピュータが自動的に型紙にしてくれて、型紙を縫い合わせたシ
ミュレーションをしてくれる。三次元モデルがプクプクと膨らみ、ここを縫っ
たらこうなりますよ、というのをリアルタイムで見せてくれる。それを見て
縫い合わせればイメージ通りのものができあがる。そんなふうに、利用者が
**裏側にある理論\*** を一切知らなくても使えるツールを目指しています。

# Q どうしてその研究をしようと思ったの?

　私は、もともと手芸が好きでした。子どもの頃、家政科出身の母に教わりながら、パッチワークでお財布を作ったり。また、父は自動車会社のエンジニアでCAD*システムの設計に携わっていたので、コンピュータも身近な存在だったんです。

　きっかけとなったのは、2004年にシーグラフというアメリカの大きな学会で発表された、筑波大学の三谷純先生のペーパークラフトに関する論文を読んだこと。その時に「ペーパークラフトをテーマにシーグラフで発表できるんだ! 私も好きなぬいぐるみをテーマに研究したい!」と思ったんです。

　手芸をやっている人はCGをあまりやらないし、逆も然り。だから、やればやるだけ全部新しくて、もともとは人間の経験と勘で試行錯誤しながら作られていたものが「あれ、これグラフ理論、オイラーグラフで解けちゃうじゃん!」と。そういうところも面白くて。ここが私のライフワークだと思い、修士・博士とこのテーマを追究してきました。

# Q まわりの人から「えっ、手芸?」って 言われることはあった?

　ぬいぐるみでシーグラフを目指しますと言った時には、「ぬいぐるみって学問になるの?」と言われることもありました。でも、ペーパークラフトだって工作だけど学問になっているじゃないかと。例えば、地球という球体を平面に描いて世界地図にすると、どうしても南北が伸びてしまって、距離や面積にゆがみが生じますよね。ぬいぐるみを作る時も同じ。だから、数学や物理法則を利用したぬいぐるみ作りのためのソフトを作れるんじゃない? と思ったんです。負けず嫌いな性格なんですよね。「難しいんじゃない?」と言われると「よし、やってやるか!」となります(笑)。

■ ■ ■ ■ ■ ■ ■ ■ ■ ■ ■ ■ ■ ■ ■ ■ ■ ■ ■ ■ ■ ■ ■ ■ ■ ■ ■ ■

*例えば、ぬいぐるみの場合、型紙を作る際のシミュレーションに物理計算を使う。ステンシルの場合、一枚につながるシートを作るためにグラフ構造を作るなど。

**CAD：Computer Aided Designの略。コンピューターを使って設計すること。自動車や住宅、建築、服飾などの設計や製図を支援するシステムとしてよく使われる。

## Q どんなところからインスピレーションを
　　得ているの?

　研究しなきゃ、アイデア出さなきゃと思っている時に、ぽんっと浮かぶこともありますが、日常の思わぬところから見つけることも。例えば、ビーズを使った研究は、何をしようかと悩んでいた時に、六本木のショーウィンドウを見ながら歩いていたら、きらきらのスワロフスキーのビーズで作られた親子のクマが売っていて、「わあ、きれい!」と覗いてみたら3万円! こんなに小さいのに (笑)。そこで、幼い頃にビーズ細工が難しくて作れなかったことを思い出したんです。それからビーズ細工の研究が始まりました。

　だから、学生たちが「テーマが浮かばない」と困っていたら、たくさんの論文を読むのもいいけど、街を散歩しておいで、と私は言いたい。100円ショップに行ってみたら? いろんな工作をやってみたら? 小学校時代のアルバムを見返してみたら? とか。そういうアドバイスもしています。

## Q どのようにして文系／理系を選んだの?

　私は中高一貫の女子校出身なのですが、中学に入ると、数学コースと英語コースに分かれました。私は数学が好きだったので数学コースを選んで、高校ではさらに分かれて、数Ⅲ・C、物理・化学選択のコアな理系に進みました。当時は「文系・理系どっち?」と聞かれる時代でしたね。今は、国語も算数もどっちも好きだから文理融合に進む、でもいいと思います。

## Q 進路はどうやって決めたの?

　私はストレートに情報科学の分野に進んだというより、やりたいことがたくさんあった中での選択でした。中高の頃はピアノも好きで、音大受験を考えたり、体が弱くよく病院にかかっていたので医学系にも興味がありました。とても悩んで、最終的にはオープンキャンパスで決めたんです。

　ITって、なんでもできるんですよね。音楽とも、医療とも組み合わせて研究することができる。スポーツ×IT、料理×ITもあります。手芸は家政科に行かないとできないと思われるかもしれないけど、情報科学科でもできるんです。情報科学を学べば、いろんな分野をつなぐ架け橋にもなれるし、それ

そのもののアルゴリズムも面白い。そういう意味で、私はこの分野に進んでよかったと思います。

## Q 大学・大学院ではどんなことを学んだの?

お茶の水女子大学の理学部情報科学科で、情報科学全般を学びました。大学院では、専門を極めるために、ヒューマン・コンピュータ・インタラクションの分野へ。博士の時は、手芸の設計支援をやりたい、というテーマを持っていたので、工学部のCADや精密機械の先生の下で学びました。ぬいぐるみって、全然精密機械じゃないんですけど(笑)。

## Q ジェンダーギャップを感じたことはある?

中高も大学も女子校だったんですが、大学院は東京大学に進学しコンピュータ科学を専攻しました。そこは、女子が1割もいない世界。研究室の中で係を決めようという時に、いつの間にか男子4人が決めて、「あなたは懇親会係ね」と。私はイベントも好きなのでいいんですけど、「あれ?」とは思いました。話し合いの末に決まったのではなく、私もその場にいたのに勝手に決まっていた。学部ではサーバー担当係だったのですが……。

そんな場面が、今でも時々ありますね。学会の委員でも、女性枠で呼ばれたんだろうな、と感じることがあります。でも、そういったコミュニティに私が入ることで、そこに行きたいと思う女性が増えるかもしれないと思って、前向きに引き受けています。ジェンダーギャップを感じて「ん?」と思った時に、その場で口に出すのが一番かもしれませんが、難しい場面も多々あります。でも、時間をおいて言えるタイミングが来たら話すというのも大事かなと思います。コミュニケーションや話し合いで解決できることも多いので。

## Q 同じようにジェンダーギャップに直面した中高生や 大学生にアドバイスするとしたら?

当時は私自身、その場で「いや、それは違うんじゃないですか?」と言うことはできませんでした。でも、その場で言えなかったとしても、「こういう経験をしたんだよね」と話せるコミュニティがあるといいなと。今、女子大で教えていて、自分の研究室以外の学生たちからも「出産・育児ってどんな感じ

ですか?」「社会人ドクターを考えているけど、結婚・出産のタイミングはどんな感じですか?」と、いろんな質問を受けますし、相談にも乗っています。同じクラスや学校以外のコミュニティでも、気軽に相談できるような場があるといいですよね。

　また、教員や保護者の意識も変えていかなければと思います。「女の子なのに」「男の子なのに」という声がけがなくなるといいなと。AIでなくなる職業があると心配する声もあるけれど、逆に、これから生まれる職業もたくさんあるわけで、将来そこに貢献する人になるかもしれない。女の子だからこの分野に進むのは不安だとか、思わなくて大丈夫。学校の先生にも保護者の方にも、ぜひ幅広い視野で子どもたちを応援してあげてほしいです!

## Q 仕事の楽しいところ・やりがいは?

　私は多趣味なので、この仕事はいろんなことができて楽しいです。人に教えることも好きですし、人から教えてもらうことも好き。自分で本を書くこともできるし、研究をがんばったら、テレビに取材されることもある。SNSで情報を発信して広報の役割をすることもある。いろんなことができて、私には合っているなと感じます。

　面白さを感じるのは、頭の中でアイデアが浮かんで、それをプログラムで実装してみたら今までできなかったことができた瞬間。0から1を生み出すところがすごく楽しい。それを論文に書いて伝えるのは大変ですが、学会で発表して他の人にも伝わった時にはやりがいを感じます。

## Q 今後のビジョンは?

　自分の研究を突きつめたいというのもあるんですけど、教育分野にも貢献していきたいことがたくさんあるので、もっと幅を広げて、自分の役割を探していけたらいいなと思います。

　それから、女性がもっと活躍しやすい社会を目指したい。私には娘もいるので、女子が女子だということを意識せずに、やりたいことに取り組める、楽しんで仕事ができる。そういった社会になるために、少しでも貢献できたらと思います。今、女子大の教員としてできることはたくさんあります。学会を運営する時にも、託児所を整備するなど、女性が参加しやすくなるよう

に考えたり。そういう小さなことでも少しずつ変わるんじゃないかなと思うので。10年後、20年後、この分野のジェンダーギャップがなくなっていることを願っています。

読者のみなさんへメッセージを！
＊　＊　＊

　私は父親から「わからないことはわからないと言える大人になれ」と言われて育ちました。それもあって、わからなくても一歩踏み出すことに抵抗がなかったのかもしれません。

　もし進路に迷っているのなら、気になる大学のオープンキャンパスに行ったり、気になる分野の学会をオンラインで無料視聴したりするのもおすすめ。その時に、興味以外の分野もひとつふたつは覗いてほしい。私は数学・物理が好きだったので、数学科・物理学科を覗きましたが、隣にあった情報科学科も見に行って、結局、情報科学科に進学しました。また、入学後に学べることは、大学によって異なり、それぞれの良さがあるので、偏差値や立地以外の視点でもぜひ考えてみてほしいです。

　情報科学の魅力のひとつは、学問自体の面白さに加えて、他の分野とのコラボレーションの可能性が多くあるところ。それに、すべてを自分でやらなくても、アイデアを出す人、アルゴリズムを考える人、プログラムを組む人というふうに、誰かとコラボしたっていいんです。自分の好きな分野を探究するのに情報科学が役に立つかもしれません。

# 世界のWomen in Tech

＊　＊　＊

2022年9月、Waffleのメンバーはアメリカへ出張し、現地の大学やカンファレンスに参加しました。なぜアメリカかというと、理由は2つ。

❖ IT分野のジェンダーギャップ問題への取り組みが盛んで、日本の10年先を歩んでいるアメリカの現状を知りたい！

❖ ワクワクできるカンファレンスの様子を肌で感じたい！

半月ほどの滞在で、自分たちが見て感じてきたことの中から、読者のみなさんにぜひとも伝えたい！と思うことをできるだけお話ししたいと思います。

## 1、アメリカの理工系学部のジェンダーギャップは？

アメリカには、女子学生比率50%を達成している大学があります。

### Harvey Mudd College（カリフォルニア）

1学年200人の少人数リベラルアーツカレッジで、理系の学位のみ取得可能。カリフォルニア工科大学やマサチューセッツ工科大学と並ぶ、高度なSTEM教育（P173）を提供しています。

なんと、コンピュータサイエンス専攻の50%が女性。現在の学長Maria Klawe氏が就任した2006年、コンピュータサイエンス学部の女性は10%以下でした。その後、学長がさまざまな改革を進め、2016年には女性が48.8%に。教授たちのリーダーポジションにも女性を採用し、全学部の教授の38%が女性になりました。

STEM分野を教えることが目的ではなく、社会にインパクトを与えるリーダーを輩出することがゴールに設定されているので、理系大学でありながら、人文・社会系の単位が必修となっています。

## Tufts University（マサチューセッツ）

1学年1300人ほどの中規模の大学。School of Arts & Scinence、School of Engineering、School of the Museum of Fine Arts という3つのスクールがあります。そのうち、School of Engineeringは46%が女性です。

2015年以降、多様性、平等性、包括性を推進させる取り組みがおこなわれ、教員の中の女性も19%から25%に増加しました。

Waffleが訪問した時には、「Simple Robotics」という授業で、学生たちがレゴ®エデュケーション SPIKE™を使い、プロジェクト・ベースドで気軽にロボット工学を学んでいる様子が見られました。

私たちは今回の訪問を経て、日本の大学でも、もっと文理融合で、文系の学生がデータサイエンスやプログラミングの授業を取れるようになるとよいのではないかと感じました。また、大学の教授の女性比率を上げるポジティブ・アクションも必要です。その他にも、実際に現地に行くことは叶いませんでしたが、女性比率30%以上の大学が増えてきています。 〈一部の例　＊順不同〉

- ・Carnegie Mellon University
- ・Stanford University
- ・Harvard University
- ・Columbia University
- ・California Institute of Technology
- ・Massachusetts Institute of Technology（略称 MIT）

# 2、Grace Hopper Celebration に行ってきた！

P56のコラムでも紹介した、コンピューター技術者の先駆けの女性、グレース・ホッパーを記念して開催されるGrace Hopper Celebration（GHC）というイベントがあります。4日間のイベントに、全世界から女性技術者や学生たち約2万人が参加するそうです。

いったいどんな場なのだろう？と胸を弾ませて参加したところ、企業の大規模な展示があったり、300以上のセミナーやワークショップが開催されたり。Women in Techに関するさまざまなトピックや最新技術に触れ、議論や交流を深めるためには最高の機会だと実感しました。

　企業のブースでは、インターンや仕事を獲得したい学生たちが履歴書を提出したり、社員と話をしてつながりを作ったりと、企業と学生双方の熱が伝わってきました。

　自動車メーカーのフォードや、マクドナルド、GAPなど、IT以外の企業もデジタル人材採用のために出展していたり。いくつかの大学は、女子学生の比率向上のために出展し、大学内に女子学生のためのコミュニティがあることなどを知らせていました。

　そして、最も盛り上がるのが、オープニングとクロージングのセレモニー。著名アーティストによるサプライズライブがあったり、暗闇の中でおこなうエクササイズがあったり……! その年に活躍した女性&ノンバイナリーのエンジニアを選出する「2022 Top Companies for Women Technologists」の表彰式もおこなわれていました。

　会場には、Celebrationの楽しさを体感できる工夫が至るところにありました。各ブースにはオリジナルグッズが用意されていたり、体験型の展示があったり、学生たちに参加したい! と思わせるような施策もいろいろ。スポンサーの協力により、充電スポットや授乳スポットも完備されていました。

　普段は職場や学校でマイノリティだと感じている女性&ノンバイナリーたちが主役となってネットワーキングがおこなわれ、ロールモデルやメンターとなる人と出会える場。参加者の中には「GHCがなければエンジニアを続けていなかった」という方もいました。

　出展している企業や学校にとっては「ジェンダーの多様性を促進する」というテーマが当たり前にあり、その上で「どのように取り組むか」を議論する場となっていました。

　GHCには、学生の参加費用、渡航費、滞在費を支給するスカラシッププログラムがあり、条件を満たす学生であれば金銭的な負担なく参加するチャンスがあります（https://ghc.anitab.org/attend/scholarships/）。

　プログラミングは世界共通言語。「私は英語が得意じゃないから」と尻込みしなくても大丈夫。興味があったら、ぜひチャレンジしてみましょう!

·············································

# アクションのためのお役立ち情報

プログラミングの世界に足を踏み入れてみたい！と思った方へ、
Next Stepをいくつかご紹介します。

·······················································

## 今日からプログラミングを学べる！
## おすすめの教材

### ① Progate https://prog-8.com/

▶初心者から学べるプログラミング学習サービス。ブラウザ上でコードを書きな
がら、プレビューで結果を確認。ゲーム感覚で作業を進めながら、ウェブサイト開
発などができます。

P55でご紹介したように、ウェブサイトを作成したいなら準備として「HTML &
CSS 学習レッスン 初級編」から始めるのがおすすめ。クリアしたら、「JavaScript 学
習レッスン」をやってみましょう。

### ② Girls Who Code https://girlswhocode.com/

▶レシュマ・サウジャニ氏が2012年に設立した、プログラミングができる女性を
増やすことを目的にしたNPO法人。主に中高生の女子にプログラミング教育を無
償で提供するなど、IT業界のジェンダーギャップ解消に努めています。

ウェブサイト上のコンテンツは英語が中心ですが、デジタルアート、ゲーム、ウェ
ブサイト構築、Python を使ったデータ解析なども充実。一部、日本語の教材もあ
ります。

### ③ Rails Girls https://railsgirls.jp/app

▶フィンランドから世界中に広まった女性向けのプログラミングのワークショッ
プ。より多くの女性がプログラミングに親しみ、アイデアを形にできる技術を身
につけるための手助けをするコミュニティです。

Rails（Ruby on Rails）とは、プログラミング言語であるRubyを使用してウェブアプ
リケーションを構築するフレームワーク（枠組み）のひとつ。年に数回、アプリを
作るワークショップが開催されているのでタイミングが合えば参加してみてくだ
さい。

### ④ テクノロジア魔法学校　https://www.technologia-schoolofmagic.jp/

▶ディズニーのキャラクターと一緒にゲーム感覚でプログラミングが学べる、オンライン型学習教材。ストーリーや謎ときを交えた「飽きさせない」教材設計で、集中して、速く深く学べる学習体験を実現しています。HTML/CSSやJavaScript、Processingなどを使って本格的なデジタル作品を実際に制作しながら、プログラミング全般に通じる基礎力を身につけることができます。

### ⑤ CS first　https://csfirst.withgoogle.com/s/ja/home

▶Googleが提供している、無料でプログラミングが学べるカリキュラム。「Scratch」とのコラボレーションにより、ブロック型のプログラミングを通して、独自のインタラクティブなストーリーやゲーム、アニメーションを作成できます。その過程で、コンピュータサイエンスの概念や問題解決戦略を学べます。

## Q プログラミング言語、何を勉強すればいい?

　ここまでの話の中にいくつか出てきたプログラミング言語。私たちも「どのプログラミング言語を勉強すればいい?」という質問をよく受けます。

　もし具体的に作りたいものがあれば、それに合わせたプログラミング言語を学ぶのが一番ですが、もし迷っていたら、以下のことを目安にしてみてくださいね。

**中学生・高校生のみなさん**

　まずは情報の授業で出てくるJavaScript、Pythonから始めてみましょう。ウェブサイトを作るHTMLやCSSなどの言語（P54）から始めるのもおすすめです。

**大学生のみなさん**

　理工系学部ではJavaやC言語を使った授業が多いです。また、プログラミングの経験があると、就職活動で「エンジニア職」に応募しやすくなります。

**これから学ぶ大人のみなさん**

　業界によって使われているプログラミング言語が違うので、気になる会社が採用しているエンジニアの要件を見てみるのがおすすめ。インフラエンジニアのように、コードを書かないエンジニアの仕事もあります。その場合は「情報処理技術者試験」の勉強をするのもよいでしょう。

# 自習や振り返りにも最適！
# おすすめの書籍

① 『子どもから大人までスラスラ読めるJavaScript
ふりがなKidsプログラミング ゲームを作りながら楽しく学ぼう！』
(リブロワークス 著／ LITALICOワンダー 監修／ア・メリカ 絵)

さまざまなプログラミング言語を、ふりがなでわかりやすく解説するという
画期的なシリーズ。

② 『スラスラ読めるUnity ふりがなKidsプログラミング ゲームを作りながら
楽しく学ぼう！』(リブロワークス 著／ LITALICOワンダー 監修／ア・メリカ 絵)

「Unity」という、ゲームを作る時によく使われるプラットフォームを使って
ゲームが作れます。

③ 『アメリカの中学生が学んでいる 14歳からのプログラミング』
(ワークマンパブリッシング 著／千葉敏生 訳)

コンピュータの仕組みからコードの読み書きまで。
プログラミングとは？がわかりやすく書かれています。

④ 『決定版 コンピュータサイエンス図鑑』
(ヘレン・コールドウェル 監修／クレール・クイグリー 著／パトリシア・フォスター 著／山崎正浩 訳)

コンピュータサイエンスに関するトピックが網羅されている本。
中高生にも読みやすいのでおすすめ。

# ジェンダーの問題をもっと知りたくなったら？
# おすすめの書籍

① 『ジェンダーについて大学生が真剣に考えてみた──あなたがあなたらしく
いられるための29問』(一橋大学社会学部佐藤文香ゼミ生一同 著／佐藤文香 監修)

▶ ジェンダーに関するトピックについてQ&A形式で紹介してくれるとてもわか
りやすい本。「ジェンダーってなに？」など素朴な疑問から始まり、セクシュアル・
マイノリティやフェミニズムについても触れられています。

②『女の子はどう生きるか　教えて、上野先生！』（上野千鶴子 著）

▶社会学者で、日本のジェンダー研究第一人者の上野千鶴子先生に、日常のもやもやをぶつけた本。今のままを受け入れるのではなく、もっとよくしていけるんだ！ と勇気の出てくる答えが詰まっています。

③『WOMEN EMPOWERMENT 100──世界の女性をエンパワーする100の方法』
（ベッツィ・トイチュ 著／松本 裕 訳）

▶発展途上国の女性たちが抱える課題を解決するためのたくさんのサービスやテクノロジーが出てきます。SDGsつながりで読むのもおすすめ。

④『私たちにはことばが必要だ フェミニストは黙らない』
（イ・ミンギョン 著／すんみ・小山内園子 訳）

▶こちらは韓国で出版された本。ジェンダーギャップが大きい社会で、自分の感じたことや選んだことを大事にしていいんだ！ と、詳しく力強く伝えてくれます。

⑤『LEAN IN　女性、仕事、リーダーへの意欲』
（シェリル・サンドバーグ 著／川本裕子・村井章子 訳）

▶仕事をする上で知っておきたい内容がたくさん。自信の持ち方への男女の差や、仲間を持つことの大切さなど、豊富な事例が著者の経験とともに紹介されています。

お役立ち
info
4

# 理工系の女性推進に力を入れている大学リスト

　日本の大学の理工系学部の中には、女子推薦枠を設けることで女子学生を積極的に募集しているところや、教員のジェンダーバランスに配慮しているところがあります。

## 〈女子学生の推薦枠を設けた／増やした工学部・学科〉

- 神奈川大学工学部 電気電子情報工学科
- 名古屋工業大学工学部 電気・機械工学科
- 愛知工業大学工学部 電気学科／応用化学科／機械学科／
  土木工学科／建築学科

- 兵庫県立大学工学部 電気電子情報工学科／機械・材料工学科/応用化学工学科
- 名古屋大学工学部 エネルギー理工学科
- 芝浦工業大学工学部／システム理工学部／デザイン工学部/建築学部
- 東京工業大学（2024年4月入学の学士課程入試から）

### 〈2022年に報じられた、女性教員を増やす取り組み〉

- 東北大学大学院工学研究科は、女性の教授職を5名募集すると公表。
- 東京工業大学は8部局において各一名の教授または准教授採用ポストを増設し、女性限定の教員公募を公開。
- 東京大学は、令和9年度までに女性の教授と准教授、合わせておよそ300人を新たに採用する計画を発表。

　しかし、こういったニュースが報じられると、違和感を示す声も上がりました。「男女に分けてそれぞれの採用枠を決めた時点で男女差別ではないか?」「女子枠は逆差別ではないか?」という声……。

　このような「女子枠」は逆差別ではなく、「ポジティブ・アクション」と呼ばれる取り組みです。これまでの歴史の積み重ねで、「男性のほうが理系に進学しやすい」「男性のほうが評価されやすい」という社会的・構造的な格差が存在しているため、改善してスタート地点を揃えるための取り組みは必要だと思います。

　また、このようなポジティブ・アクションは、機会や待遇を平等にするという目的が達成されるまで実施するものだと考えます。


　社会はたくさんの先輩たちの努力により少しずつ変わってきています。みなさんにも安心して、好きな進路を堂々と目指してほしいです!

## 奨学金や支援の情報

- 山田進太郎D&I財団｜STEM（理系）高校生女子奨学金：STEM分野への進学を目指す女子学生を応援するために、メルカリCEO 山田進太郎さんが立ち上げました。

- 神山まるごと高専：19年ぶりの新設の高等専門学校（高専）として、2023年4月より徳島県神山町にて開校。女子学生を増やすための中学生向けイベントを実施。
- 芝浦工業大学：「未来を担う理工系女性技術者の育成」のため、2022年度学部入学者から100人を超える成績優秀な女子入学者へ、入学金相当（28万円）を奨学金として給付。
- 大阪大学：理学部、工学部、基礎工学部の理工系学部に入学した優秀な女子学生50人に入学支援金を支給。

# 仲間を探そう！ エンジニアのコミュニティ

## 〈中高生向け〉

### ● Life is Tech!主催 Code Girls

中学生、高校生向け IT・プログラミング教育サービスを提供している Life is Tech!（ライフイズテック）主催の女子中学生・女子高校生のための無料で参加できるITワークショップ。プログラミングやデザインなどのITスキルを学んだり体験したりできます。現在は自治体と共催で実施しています。

### ● Google主催 Mind the Gap（学校単位で申し込み可）

女子中高生を対象にした、情報科学やコンピューターサイエンスについて楽しく学ぶ取り組みです。講演や体験型ワークショップを通じて、コンピューターサイエンスの面白さを教えてくれたり、現役の女性エンジニアたちがソフトウェアエンジニアの仕事やその魅力を伝えるセッションを実施しています。

## 〈大学生向け〉

### ● 大学内のコミュニティ（一部の例）

情報系女性のためのWomen's Community

2021年にお茶の水女子大学の情報系の先生が「大学を越えて友人関係を築く場を

作りたい」という思いから立ち上げたコミュニティ。オンラインで日常的に会話ができる場として「Slack」を用い、キャリアに関する話題から、学会・イベント告知、アルバイト募集、美容関係、自己紹介など、さまざまなチャンネルがあります。また、研究室紹介や企業・団体トークなどZoomでのイベントも開催してきました。2023年2月現在、登録者は400名を超えています。女子学生・女性教員・女性研究者を主としながら、女子学生を指導する男性教員や男女共同参画に関わる男性教員も入り、情報提供をしています。研究室所属前の学部生や、進路を考える中高生の参加も大歓迎!

---

加入したい人は、こちらに連絡を!
担当:お茶の水女子大学　伊藤先生・五十嵐先生
メール：womens.community.info@gmail.com

## 〈学生・社会人向け〉

### ● Code Polaris

IT業界で働く女性や働くことを目指している女性のためのコミュニティ。プログラミング言語や開発対象の制限はなく、現職から、学生、転職を検討している人などさまざまな参加者がいます。
ITの話題をはじめ、仕事や生活の悩みなども会話できる、仲間と共に安心できる場です。

### ● Creators Studio

web3の女性及びジェンダーマイノリティクリエイターのコミュニティ。
web3に関する情報の共有やクイズなどを通して知識をつけることができます。
またコミュニティで行われているプロジェクトに関わることで開発経験を積み、web3のクリエイターとして活躍するための支援をしています。

### ● PyLadies Tokyo

Pythonが好きな女性を結ぶ、国際的なコミュニティです。

### ● Rails Girls

女性・初心者向けの無料プログラミングイベントが全国不定期で開催されていま

す。お住まいの近くで開催されていたら、ぜひ参加してみてくださいね。

● TECH PLAY 女子部

特定の技術やテーマを設けず、普段なかなか話せない女性エンジニアのあるある
や技術相談、はたまたキャリアの相談などができるコミュニティです。

● Women in Data Science

Women in Data Science（通称WiDS）は、米国スタンフォード大学を中心にグロー
バル規模で「2030年までにデータサイエンスにおける女性の割合を30%以上にす
ること」を目標とし、データサイエンス分野で活躍する人材育成を目的とした活
動プログラムです。

● Women Who Code Tokyo

IT業界でキャリアを築く女性の支援をミッションとするNPOで、世界75都市に
支部があります。技術やキャリアにまつわるワークショップ・勉強会の開催、カ
ンファレンスへの参加支援、求人紹介などをおこなっています。

〈Waffle〉

Waffleにも参加してくれた人たちのコミュニティがあります。過
去の参加者や今後参加したいと希望してくれている学生さんに
は、LINE@を登録してもらえれば、随時情報を提供しています。
ぜひ登録してみてね!

＊本書に記載した情報は2023年2月（校了時）に調べたものです。最新情報は、各団体や学校が公表する資
料やHPをご確認ください。

# おわりに

最後まで読んでくださり、ありがとうございます。
本書は、私たちWaffleがみなさんに
「ITの面白さや、その先にある多様なキャリアをお伝えしたい!」
という一心で制作したものです。

メンバーそれぞれの経験と知識を活かして集めた情報や、
普段から交流のある方々にお聞きしたストーリーを、
できるだけ多くお届けできるよう考慮した上で、一冊にまとめました。

IT分野とジェンダー問題というテーマを扱っていますが、
本書に載せた情報がすべてではありません。
IT分野のジェンダーギャップ解消を目指し活動してきた私たちが、
現在の社会状況を鑑み、自らの知見に基づいて書いたものであることを、
どうかご理解いただけますようお願いいたします。

Waffleの取り組みは、この先も続きます。
この活動をより良くし、さらに輪を広げていくために、
みなさんからのご意見をお待ちしています。
Waffleのような団体がなくても大丈夫な社会を目指して。
より多くの方々をエンパワーできるようにチャレンジを続けていきます。

#ITをカラフルに
多くの人々がITを使って
社会にポジティブな変化の波を起こしていける
社会を目指して。

2023年2月　NPO法人Waffle

# Ｗａｆｆｌｅ用語集

IT分野のジェンダーギャップ解消をミッションに活動をする私たちが、
理念やメッセージを伝えるために欠かせない言葉を集めて、
その意味をここで紹介します。

＊本文に出てきた重要な言葉をピックアップし、わかりやすい例を補足しながら解説しています。
＊言葉の意味は、使う人によって多少ニュアンスが異なることがあるため、
　相手の考えを尊重しながら使いましょう。

## ジェンダー・ステレオタイプ

社会に広く浸透している、「男性」「女性」それぞれに対する人々の固定的な思い込みやイメージのこと。

例えば、「男性は理系、女性は文系」「男子は青、女子はピンク」「医師やパイロットは男性、看護師やフライトアテンダントは女性」など。これらのジェンダー・ステレオタイプによって、自分の属性を判断し、可能性を閉ざすような意思決定をしてしまったり、将来のキャリアの選択肢を狭めてしまう恐れがある。

## ジェンダー・バイアス

「男らしさ」「女らしさ」など、男女の役割に関する固定的な観念や、それにもとづく差別・偏見・行動のこと。「バイアス」とは「偏見」という意味。

例えば、「男性は外で働くべき」「男の子だから強くあれ」「女性は家事や子育てをすべき」「女の子なのに数学ができてすごいね」など、個人の尊厳や権利を無視した声がけが、相手の心を傷つけ、行動や選択に制限をかけてしまうことがある。

## ジェンダー・ノンコンフォーミング

社会に浸透しているジェンダー・ステレオタイプやジェンダー・バイアスに異議を唱える人や抗う人、またその人たちの行動や考え方を指す。

## ノンバイナリー

自身の性自認や性表現を「男性」「女性」といった枠組みに当てはめようとしない人のこと。

## ジェンダード・イノベーション

科学や技術、政策に性差分析を取り込むことによって、新たな視点や方向性を見出し、真のイノベーションを創り出すこと。スタンフォード大学のロンダ・シービンガー教授が2005年に提唱し、世界中で取り組みが進んでいる。

例えば、自動車のシートベルトが妊婦に適合していないことなど、生物学的・社会学的性別等の性差が考慮されていない研究開発がマイノリティに不利益をもたらす事例は、数多く発見され、イノベーションが求められている。

## アンコンシャス・バイアス

自分自身が気づいていない、ものの見方や捉え方のゆがみや偏り。その人の経験や知識、周囲の意見や日々接する情報などから形成され、何気ない発言や行動にあらわれる。家庭や学校、職場、コミュニティなどで他者を傷つけたり、自分を追い込んでしまうケースがある。

誰もがアンコンシャス・バイアスを持っていることに自覚的になり、単純に判断や決めつけをせず、ひとつずつ立ち止まって考えることが大切。

## インポスターシンドローム
### （インポスター症候群）

自分の力で何かを達成し、周囲から高く評価されても、「自分には本当はそのような能力はない」「評価されるに値しない」と自己を過小評価してしまう傾向のこと。

例えば、聡明で有能な女性や、高いキャリアを築いている女性であっても、「これまでの成功は自分の力によるものではない」「ただ運がよかっただけ」「まわりの人が手助けしてくれたからに過ぎない」と思い込んでしまうことがある。

## ステレオタイプ脅威

社会や集団に存在するネガティブなステレオタイプに触れることで、自分がそのように見られることを怖れ、パフォーマンスが低下してしまうこと。例えば、「女性はリーダーに向いていない」「男性はケア職に向いていない」といったステレオタイプが、無意識のうちに心の重荷となり、仕事がうまくいかないことなど。ステレオタイプ脅威の研究は、「高齢者は記憶力が良くない」「女性は数字に弱い」など、さまざまステレオタイプにおいて実施されていて、影響が大きいことが確認されている。

## 隠れたカリキュラム

教育する側が意図する・しないにかかわらず、学校生活の中で児童・生徒が自らが学びとっていくすべての事柄。授業以外の場面で、学校の慣行やルール、教師やクラスメイトの言動などから学びとることは多い。例えば、男女別の並び方、色分け、ロッカーなどの順序、係における男女の偏り、教科による教師の男女比、教科書に登場する登場人物の男女割合やその役割の偏り、教師の持つジェンダーバイアスなど。こうした隠れたカリキュラムの影響力の大ききは、教育の現場で無視できない重要な課題となっている。

## ICT

「Information and Communication Technology」の略で、日本語では「情報通信技術」と訳される。ITは通信技術そのものを指し、ICTは通信技術を使ったサービスや活用法を指すことがあるが、同じ意味で使われることも多い。

## STEM教育／STEAM教育

理系や文系の枠を横断して学び、問題を見つける力や解決する力をはぐくむ学習のこと。Science（サイエンス＝科学）、Technology（テクノロジー＝技術）、Engineering（エンジニアリング＝工学）、Art（アート＝芸術）、Mathematics（マスマティクス＝数学）を指す。

## IoT

「Internet of Things」の略。家電量販店などでもよく見かける言葉。「モノのインターネット化」とも呼ばれ、もともとはインターネットとは関係のなかったものに通信機能を持たせ、遠くからでも位置確認や操作、情報のやりとりなどを可能にする技術のこと。

近年、インターネットを通じてやりとりされる情報をデータ化し分析することで、商品への付加価値や新たなサービスを生み出す可能性が広がっている。

## DE&I／D&I

ダイバーシティ（＝多様性）エクイティ（＝公正）＆インクルージョン（＝受け入れる）。多様性を認識するだけではなく、ひとりひとりが受け入れ、尊重することによって個人の力が発揮できる環境を整備したり、働きかけたりしていく、という考え方。近年、積極的に取り組む組織が増えている。

# 参考文献・URL

## 1章

・OECD "Programme for International Student Assessment Results from PISA 2018"

・World Economic Forum "The Global Gender Gap Report 2022"

・内閣府 男女共同参画局「令和元年度 男女共同参画社会に関する世論調査」／「令和3年度 性別による無意識の思い込み（アンコンシャス・バイアス）に関する調査結果」／「男女共同参画白書（概要版）平成30年度版」

・内閣府 若者円卓会議資料

・文部科学省「学校基本調査」（平成29年度）

・厚生労働省「賃金構造基本統計調査」内「ソフトウェア作成者」「システムコンサルタント・設計者」

・NHK クローズアップ現代＋「新春インタビュー 2022 社会を変える"一歩"を」（2022年1月4日放送）

・「Stepping Out of The Gender Box 性別にとらわれず自由に生きるために 日本の高校生のジェンダー・ステレオタイプ意識調査」（公益財団法人プラン・インターナショナル・ジャパン,2022年4月）

・森永康子、坂田桐子、古川善也、福留広大「女子中高生の数学に対する意欲とステレオタイプ」（『教育心理学研究』65巻3号 p375-387,一般社団法人日本教育心理学会,2017年）

・髙見佳代、尾澤重知「女子学生の文理選択の決断にステレオタイプが及ぼした影響に関する質的研究」（『日本教育工学会論文誌』46巻2号,一般社団法人日本教育工学会,p255-273,2022年）

・勝木洋子、足立まな、北野聡子、杉本智美、寺田奈央、福山香織、藤村公代「教科の中の隠れたカリキュラム：ジェンダー平等の視点から見た道徳教科書の分析」（『教職課程・実習支援センター研究年報』3号,p23-34,神戸親和女子大学教職課程・実習支援センター,2020年）

・REUTERS"Amazon scraps secret AI recruiting tool that showed bias against women"https://www.reuters.com/article/us-amazon-com-jobs-automation-insight-idUSKCN1MK08G

・Science in the News"Racial Discrimination in Face Recognition Technology" https://sitn.hms.harvard.edu/flash/2020/racial-discrimination-in-face-recognition-technology/

・Gendered Innovations "Part 2. Subtle Gender Bias and Institutional Barriers" https://genderedinnovations.stanford.edu/institutions/bias.html

・FRG Technology Consulting "Java, web, mobile and PHP Salary Survey"（2021年）https://www.frgconsulting.com/insights/java-web-mobile-php-salary-survey

・ハフライブ「50:50プロジェクト」https://www.huffingtonpost.jp/entry/hufflive-5050_jp_600e8ad3c5b6a0d83a1cd2f5

・Londa SCHIEBINGER「自然科学, 医学, 工学におけるジェンダード・イノベーション」（『学術の動向』22 巻11号,公益財団法人日本学術協力財団,2017 年）

## 2章

・経済産業省「スマートモビリティチャレンジ 2nd の方向性について」

・日本財団「電話リレーサービス」https://nftrs.or.jp

・日経クロステック 特集「コンビニ3社 POSレジ競争」https://xtech.nikkei.com/atcl/nxt/column/18/00193/

・トレネッツ「セルフレジ導入と防犯対策 人件費削減・無人化の課題」https://www.trenet-s.co.jp/post/selfcheckoutsecurity

・株式会社リクルート「スタディサプリ」https://studyswapuri.jp

・株式会社すららネット「すらら」https://surala.jp/home/faq/

・文部科学省「不登校児童生徒への支援の在り方について（通知）」（令和元年10月25日）

・厚生労働省「オンライン診療に関するホームページ」

・Bloomlife https://bloomlife.com

・株式会社クボタ https://www.kubota.co.jp

・株式会社リモート「モバイル牛温恵」https://www.gyuonkei.jp

・東京国立近代美術館 https://www.momat.go.jp/am/

・Google Arts&Culture https://artsandculture.google.com/?hl=ja

・レイチェル・イグノトフスキー『世界を変えた50人の女性科学者たち』（野中モモ訳,創元社,2018年）

・若宮正子『60歳を過ぎると、人生はどんどんおもしろくなります。』（新潮社,2017年）

・ナショナル ジオグラフィック日本版「世界初のプログラマー、19世紀の伯爵夫人エイダ・ラブレス」https://natgeo.nikkeibp.co.jp/atcl/news/22/031900131/

・ナショナル ジオグラフィック日本版「"バグ"と戦った歴史的プログラマー」https://natgeo.nikkeibp.co.jp/nng/article/news/14/8624/

## 用語集

・UNESCO「改訂版 セクシュアリティ教育に関する国際テクニカルガイダンス エビデンスに基づいたアプローチ 2018」（2018年1月10日版）

・クロード・スティール『ステレオタイプの科学――「社会の刷り込み」は成果にどう影響し、わたしたちは何ができるのか』（北村英哉・藤原朝子訳,英治出版,2020年）

・文部科学省「人権教育の指導方法等の在り方について」（平成18年1月）

＊ウェブの記事は2023年2月9日最終閲覧

## SPECIAL THANKS

本書の執筆も含めたWaffleの活動にいつもご協力いただいている皆様に、心より御礼申し上げます。

| | | |
|---|---|---|
| 赤澤亮正 衆議院議員 | YanFanさん | 西野麗華さん |
| 足立靖恵さん | 毎床愛美さん | 祢屋 希さん |
| 安部遥子さん | 阿部真緒子さん | 秦 珠実さん |
| 飯田瑛美さん | 安藤祐介さん | 舟津七海さん |
| 五十嵐悠紀さん | 石戸谷由梨さん | 古瀬麻衣子さん |
| 伊藤貴之さん | 市村衣未さん | 町田小茉莉さん |
| 鵜飼 佑さん | 大原夏実さん | 村上綾菜さん |
| 大崎麻子さん | 大本マイケル敏郎さん | 諸石隆史さん |
| 河合聡一郎さん | 尾形多愛さん | 岩永かづみさん |
| 川向 緑さん | 小田理代さん | 大島綾乃さん |
| 木村喜生さん | 柿崎美南乃さん | 近藤百花さん |
| 駒崎弘樹さん | 神谷 優さん | 近藤 結さん |
| 佐々木成江さん | Keith Stevensさん | 佐々木敦子さん |
| 治部れんげさん | 児玉浩康さん | 高木智代さん |
| 島沢賢志さん | 小玉淑乃さん | 多和田萌花さん |
| 白河桃子さん | 佐藤愛桔さん | 仁ノ平和奏さん |
| スプツニ子!さん | 篠 恵理さん | 樋口れみさん |
| 高梨大輔さん | 白川寧々さん | 日出間磨理さん |
| 高松裕美さん | 城間彩加さん | 布瀬谷千桜さん |
| 田口みきこさん | 鈴木まいらさん | 宮本さくらさん |
| 武貞真未さん | 鷲見雄馬さん | 村田華蓮さん |
| 竹谷正明さん | 瀬戸昌宣さん | 大和祐菜さん |
| 只松観智子さん | 高木里穂さん | |
| 田村鷹正さん | 高橋裕希さん | 特定非営利活動法人みんなのコード |
| 利根川裕太さん | 竹永美咲さん | Code Chrysalis Japan株式会社 |
| 中島さち子さん | Diogo Almeidaさん | EDOCODE株式会社 |
| 浜田敬子さん | 寺門美緒さん | WeWork Japan合同会社 |
| 久田寛子さん | 利根川亮平さん | 協賛企業・団体のみなさま |
| 堀江愛利さん | 富山 幸さん | 寄付者のみなさま |
| 増井雄一郎さん | 仲内麗華さん | メンター・Teaching Assistant・ |
| 山田 響さん | 中川心愛さん | キャリアトークなどで |
| | | ご協力いただいたみなさま |

# わたし×IT＝最強説

女子＆ジェンダーマイノリティが
ITで活躍するための手引書

2023年3月21日　初版第1刷発行

著者　NPO法人Waffle

執筆　森田久美子

監修　田中沙弥果　斎藤明日美
　　　辻田健作　森田久美子

取材・ライティング協力　田口みきこ

デザイン　ニマユマ

イラスト　高橋由季

編集　當眞 文

発行者　孫 家邦

発行所　株式会社リトルモア
　　　　〒151-0051東京都渋谷区千駄ヶ谷3-56-6
　　　　Tel.03-3401-1042　Fax.03-3401-1052
　　　　www. littlemore.co.jp

印刷・製本所　株式会社シナノパブリッシングプレス